Hanna, kleine engel

STICHTING NEDERLANDSE
KINDERJURY
2000

Angela Sommer-Bodenburg
Hanna, kleine engel
© 1995 K.Thienemanns Verlag, Stuttgart-Wien-Bern
© 1999 voor het Nederlandse taalgebied, Uitgeverij Clavis, Hasselt
Vertaald uit het Duits door Axel Vandevenne
Oorspr. titel: Hanna, Gottes kleinster Engel
Oorspr. uitgever: K. Thienemanns Verlag, Stuttgart-Wien-Bern, 1995
Omslagill.: Mieke Cosemans
Trefw.: engelen, gezinssituatie, gebrek aan moederliefde
NUGI 221
ISBN 90 6822 664 9 - D/1999/4124/045
Alle rechten voorbehouden.

Hanna,
kleine engel

Angela Sommer-Bodenburg

Uitgeverij Clavis, Hasselt

Dinsdag 1 oktober

We moeten een opstel over engelen schrijven. Het moet een lang opstel worden, eigenlijk meer een boek, zegt onze leraar, meneer Findling. We willen er onze ouders met Kerstmis mee verrassen.

We mogen in het algemeen over engelen schrijven of een bepaalde engel uitkiezen. De meeste leerlingen van de klas zullen over engelen in het algemeen schrijven omdat dat het gemakkelijkste is.

Maar van mij verwacht meneer Findling iets meer. Dat heeft hij me onder vier ogen toevertrouwd. Ik ben namelijk de beste in opstellen schrijven. Daarom is het voor mij niet genoeg dat ik alleen maar opzoek wat anderen al over engelen hebben geschreven. Meneer Findling wil van mij iets heel bijzonders, iets buitengewoons. In het begin kon ik helemaal niets bedenken. Maar daarna, toen ik tijdens de gymnastiekles mijn knie gestoten had en op de bank zat, dacht ik plotseling aan mijn zusje, Hanna.

Hanna is Gods kleinste engel. Dat zegt onze buurvrouw, mevrouw Beckmann, ook. Hanna praat zo veel over God dat ik zeker genoeg materiaal voor mijn opstel bij elkaar krijg. En dat is precies wat we in de volgende twee weken moeten doen: materiaal verzamelen.

Ik begin vanmiddag meteen alles over Hanna op te schrijven.

Hanna wacht buiten voor het huis als Manfred en ik uit school komen. Het is koud en de wind waait, maar Hanna draagt geen jas en geen muts. Toch roept ze lachend: "Dag strooien dakje!"

"Dag hummeltje," antwoordt Manfred.

Ze noemt hem strooien dakje omdat hij zo'n wilde kop haar heeft. Ze verzint vaak grappige namen.

"En waar is Lange Wapper?" vraagt ze.

"Hij moet nablijven," zeg ik. Lange Wapper is mijn vriend Hartmut.

"Alweer?" Ze giechelt.

"Ja, want hij is nog brutaler dan jij," zegt Manfred.

"Ik ben niet brutaal," spreekt ze tegen.

"Waarom moet je dan buiten staan?" vraagt hij.

"Omdat ik de waarheid heb gezegd," antwoordt ze. "Mevrouw Beckmann is net gekomen om koffie te lenen. Mama zei dat ze geen koffie meer had. Maar ik heb gezegd dat er nog koffie in de kast stond, voor de klasreünie. Toen moest mama de koffie aan mevrouw Beckmann geven."

"Mama's koffie voor de klasreünie?" vraag ik geschrokken. Op vrijdag, over drie dagen, komen mama's vroegere schoolvriendinnen op bezoek. Eén keer per jaar komen ze. Dan is er altijd de beste koffie, de fijnste bonbons.

"Als mevrouw Beckmann nu geen koffie meer had," zegt Hanna.

"En voor straf heeft je moeder je naar buiten gestuurd?" vraagt Manfred.

"Nee. Ik ben vlug met mevrouw Beckmann meegegaan. En mevrouw Beckmann heeft me bonbons gegeven."

"En nu durf je niet meer naar huis terug!"

Hanna schudt haar hoofd. "Ik blijf buiten omdat ik het zo vervelend vind in ons saaie huis."

"Zorg maar dat mama dat niet hoort," merk ik op.

"Waarom niet? Mama heeft zelf gezegd dat haar huis altijd piekfijn in orde moet zijn."

"Je hebt niet 'piekfijn huis' gezegd, maar 'saai'. Dat is een hemelsbreed verschil."

"Is dat zo?"

"Ja!"

"En wat vind je hierbuiten zo interessant?" wil Manfred weten.

Hanna rekt zich uit en geeft hem een tikje op zijn neus. "Jou bijvoorbeeld."

Hij bloost.

"En daarnet is er een ambulance voorbijgereden," deelt ze mee. "Met zie-René."

"Sirene," verbeter ik. "Het is sirene."

"En ik zeg zie-René omdat ik ze gezien heb," houdt ze koppig vol. Daarna vraagt ze geheimzinnig: "En weet je voor wie ze kwamen?"

"Nee, voor wie?"

"Voor meneer Müller, die altijd zoveel drinkt. Ze hebben hem meegenomen."

"Met de ambulance?" zeg ik ongelovig. Gewoonlijk worden de dronkemannen met de politieauto afgehaald en opgesloten op het bureau tot ze weer nuchter zijn.

"Hij heeft zeker een genadeschot gekregen," fluistert Hanna.

Manfred grijnst. "Mevrouw Müller is zeker uit haar slof geschoten, bedoel je."

"Slof?" zegt ze hem na. "Denk je dat mevrouw Müller een geweer in haar schoenen heeft?"

"Nee, waarom?"

"Als ze op hem geschoten heeft en als het geen genadeschot was, maar een schot uit haar slof, moet ze toch een geweer in haar schoenen hebben?"

"Heeft mevrouw Müller op haar man geschoten?" roept Manfred plotseling heel opgewonden.

"Had toch gekund," zegt Hanna.

"Dat had helemaal niet gekund!" spreek ik heftig tegen. "En je weet heel goed dat je geen kwaad mag spreken over andere mensen."

"Maar mama zegt dat je sommige mannen een genadeschot zou moeten geven," verdedigt ze zich.

"Onzin," antwoord ik. "Dat heb je weer maar eens helemaal verkeerd verstaan."

"Niet waar," antwoordt ze.

"Wel waar," zeg ik tegen Manfred. Ik wil niet dat hij zijn moeder over het genadeschot vertelt. Dan duurt het niet lang voor onze moeder het ook hoort en dan krijgt Hanna nog meer problemen.

"Laten we maar liever naar binnen gaan," zeg ik.

"Nee. Ik wil niet," antwoordt ze.

"Misschien is mama dat voorval met de koffie alweer vergeten."

"Mama vergeet nooit iets."

"Zo erg zal het wel niet zijn," zegt Manfred. "Wees maar niet bang, je moeder zal je kop er niet aftrekken. Alleen je ogen uitkrabben misschien." Hij lacht hees.

"Kerel," sist Hanna.

"Rekel," verbetert Manfred. "Het is rekel."

Hanna sjokt met gebogen hoofd naar de deur.

"Tot morgen," zeg ik tegen Manfred.

Ons appartement ligt op de begane grond. Van de vier deuren is de onze de tweede van links. Ik bel aan.

We horen stappen achter de deur. Onze moeder doet open. "Dag mama," zeg ik. Maar ze staart me alleen aan, draait zich om en verdwijnt. We gaan naar binnen en ik sluit de deur.

"Canada," fluister ik.

Het was Hanna's idee om de stemmingen van onze moeder in koudezones in te delen. Canada is nog min of meer te harden.

9

"Nee, Alaska," zegt Hanna. "En op jou is ze nu ook boos."

"Waarom zou ze boos zijn op mij?"

"Omdat je mij hebt meegebracht."

"Daarom wordt mama toch niet boos?"

"Waarom gaf ze dan geen antwoord toen je 'dag mama' zei?"

"Waarschijnlijk wilde ze gauw naar het fornuis terug om haar pannenkoeken niet te laten aanbranden."

"Denk je dat ze pannenkoeken bakt?" Hanna likt haar lippen. Pannenkoeken zijn haar lievelingskostje dat trouwens maar heel zelden op tafel komt.

"Ja. Maar niet voor Hanna," horen we de stem van onze moeder vanuit de keuken. "Hanna gaat nu direct naar de badkamer om in alle rust en kalmte over haar gedrag na te denken. En Wolfgang draait de deur achter haar op slot."

Hanna balt haar vuisten. "Ik lust toch al geen pannenkoeken meer. En naar de badkamer ga ik graag, want ik heb hoofdpijn!"

Ze verdwijnt in de smalle, raamloze kamer.

"Heb je de deur op slot gedaan?" vraagt onze moeder.

"Ja." Ik trek de sleutel uit het slot.

"En is het licht uit?"

"Ja." De badkamer heeft maar één lichtschakelaar, buiten op de gang.

"Kom dan eindelijk, je pannenkoeken worden koud," roept onze moeder. "Neem de sleutel mee."

"Straks mag je er beslist weer uit," fluister ik Hanna door de deur toe.

Ze geeft geen antwoord. Ze zal wel weer Hanna Niettezien aan het spelen zijn. Hanna Niettezien is blind en doof en stom.

Ik loop naar de woonkamer. Er staat een bord met drie pannenkoeken op tafel. Ik neem er een en strooi er suiker op.

"Ben je niets vergeten?" zegt onze moeder.

"Jawel," bedenk ik. Ik loop naar de keuken om mijn handen te wassen in de gootsteen. Daarna eten we.

"Hoe was het op school?" vraagt ze.

"Op school? Zoals altijd."

"Wat zei je leraar?"

"Meneer Findling? Wat zou hij gezegd moeten hebben?"

"God in de hoge hemel!" kreunt onze moeder. "Moet ik dan elk woord uit je trekken? Hij zal toch wel iets gezegd hebben?"

"Ik... ik weet het niet meer," stotter ik.

Meneer Findling heeft ons op het hart gedrukt om thuis met geen woord over ons engelenboek te reppen.

"Omdat je alweer niet hebt opgelet! Bij jou gaat het ook altijd het ene oor in en het andere uit!"

"Nee," spreek ik tegen. "Ik heb wel opgelet."

"Wat heeft je leraar dan gezegd?"

"Ik... ik ben het vergeten."

"Zie je wel! Geef je nou toe dat je niet hebt opgelet?"

11

"Ja."

"Wat ja?"

"Ja, ik heb niet opgelet."

"Jij geeft je fouten tenminste toe. En dat kan niet van iedereen in dit gezin gezegd worden."

Ze maakt een beweging naar de derde pannenkoek. "Heb je geen honger meer?"

"Toch wel. Maar ik dacht dat die voor Hanna was."

"Nee. Zij krijgt er geen."

Daarop pak ik de pannenkoek.

"Mag Hanna er weer uit?" vraag ik wanneer ik met mijn huiswerk klaar ben.

"Als ze zich verontschuldigt..." geeft onze moeder als antwoord.

"Hanna?" Ik bons op de badkamerdeur. "Mama wil weten of je je verontschuldigt."

"Ik me verontschuldigen? Waarvoor?" vraagt ze.

"Voor dat voorval met de koffie."

"Nee. Ik heb alleen maar de waarheid gezegd."

"Maar je kunt je toch wel verontschuldigen," stel ik voor. "Dan laat mama je er weer uit."

"Ze hoeft me er niet uit te laten. Ik vind het hier fijn. En Bim en Bam ook. Ze hebben net een nieuwe dans geleerd."

Bim en Bam zijn Hanna's olifanten. Eigenlijk zijn het haar handen, maar wanneer Hanna haar duimen beweegt, worden het olifantenslurven. Haar olifanten kunnen praten, zingen en dansen. Maar niemand weet dat behalve ik.

"Verontschuldig je je nu, ja of nee?" dring ik aan.

"Nee," komt haar antwoord.

"Dan moet je tot vanavond in de badkamer blijven," zeg ik.

"Hoef ik helemaal niet," kaatst ze terug. "Want nu vliegen we naar India, het land van de olifanten. Zijn jullie klaar, Bim en Bam? Hoeeiii, daar gaan we!"

"En wanneer papa straks thuiskomt en ziet dat je opgesloten bent, maakt hij zich ook nog eens boos op je omdat je het mama moeilijk hebt gemaakt," waarschuw ik.

"Ik versta je niet," antwoordt Hanna. "Hier in India spreken ze alleen maar Indisch."

"Jij je zin." Ik zucht. "Als je niet naar me wilt luisteren..."

"Ik wil wel," antwoordt ze. "Maar ik versta alleen maar hoetsie en poetsie."

Ik draai me om en loop terug naar de woonkamer.

Kort na vieren wordt er gebeld. Onze moeder kijkt op uit haar krant en zegt: "Wie zou dat kunnen zijn? Papa heeft toch een sleutel?"

Ik doe open. Het is mevrouw Beckmann met een tas in haar hand. "Is je moeder thuis?" vraagt ze.

"Ja!" Ik roep: "Mama? Mevrouw Beckmann aan de deur."

"Oh, mevrouw Beckmann." Met haar liefste glimlach komt onze moeder erbij.

"Ik vond het maar het beste u de koffie direct terug te brengen," zegt mevrouw Beckmann. "Ik kreeg het gevoel vanochtend dat het u niet goed uitkwam om hem me te lenen."

"Niet goed uitkomen? Hoe komt u daarbij?"

"Nou... niet iedereen leent graag iets uit."

"Maar zoiets mag u toch niet van me denken," antwoordt onze moeder. "Het spreekt toch vanzelf dat je je buren af en toe uit de nood helpt."

"Waar wij vroeger woonden was dat ook zo," stemt mevrouw Beckmann in. Ze is pas hierheen verhuisd.

"Maar waar hebt u uw kleine engel verstopt?" Ze tuurt langs onze moeder heen de gang in.

"Welke kleine engel?"

"Hanna." Mevrouw Beckmann haalt een chocoladereep uit haar tas. "Of mogen uw kinderen geen snoep?" vraagt ze wanneer ze de afwijzende blik van onze moeder opmerkt.

"Jawel, natuurlijk." Onze moeder aarzelt. "Waarom geeft u Wolfgang de chocolade niet?" zegt ze dan.

"Voor Wolfgang heb ik natuurlijk ook wat meegebracht." Mevrouw Beckmann haalt nog een reep chocolade uit haar tas en geeft die aan mij. "Of is Hanna er niet?"

"Ze is in India," klinkt Hanna, dof als uit een grafkelder.

"Een van haar spelletjes," zegt onze moeder. "U weet hoe kinderen zijn."

Mevrouw Beckmann knikt, al heeft ze zelf geen kinderen. "Hanna is werkelijk een buitengewoon meisje. Ze heeft

14

zo veel fantasie." Ze geeft de tas aan onze moeder. "Doe Hanna mijn groeten zodra ze terug is uit India."

"Dat kan nog wel even duren," antwoordt onze moeder.

In de keuken maakt ze het pakje met koffiebonen open en ruikt eraan.

"Mag Hanna er nu weer uit?" vraag ik met bonzend hart.

"Dat zou ze wel willen," antwoordt onze moeder.

Noorwegen, denk ik.

"Maar mevrouw Beckmann heeft de koffie toch teruggebracht," werp ik tegen.

"Koffie die ze ergens goedkoop op de kop heeft getikt, daar is ze mee aangekomen. Ik zou mijn vriendinnen horen als ik hen deze... deze armeluiskoffie zou voorzetten."

Ze werpt een donkere blik in de richting van de badkamer. "Wacht maar. Als papa hoort dat we nu nieuwe koffie moeten kopen..."

"Dat hoeft hij toch helemaal niet te weten," zeg ik. Onze vader is niet alleen spaarzaam, hij is gewoon gierig.

"Zo. Je wilt dus dat ik je vader voorlieg?"

Ik krimp in elkaar. "Nee."

"Je hoeft in het leven ook niet op genade te rekenen," zegt onze moeder. "Hoe sneller Hanna dat leert, hoe beter."

"Ja mama," zeg ik.

Gewoonlijk komt onze vader om halfzeven thuis. Hij is opticien en de brillenwinkel waar hij werkt sluit om zes uur.

Maar vanavond moet hij overwerken, lijkt het.

Hanna moet ook overuren maken in de badkamer.

"Waar blijft papa toch," zegt onze moeder. Ze heeft knoedels klaargemaakt. Die staan al sinds halfzeven op tafel.

"Misschien is hij een vriend tegen het lijf gelopen," zeg ik.

"Papa heeft geen vrienden," antwoordt ze.

Eindelijk, om tien over zeven, horen we de sleutel in het sleutelgat.

"Papa!" roep ik en ik ren naar de deur.

Onze vader komt binnen. Hij loopt gebukt en kan haast niet ademen.

"Had ik het niet gedacht," zegt onze moeder. "Hij heeft weer een aanval."

Onze vader krijgt vaak dat soort aanvallen. Hij heeft astma en onze moeder zegt dat Hanna en ik de ziekte waarschijnlijk geërfd hebben. Maar tot nu toe zijn we nog gezond.

Papa's aanvallen zijn soms zo erg dat onze moeder een ambulance moet bellen. Ze is aan papa's aanvallen gewend geraakt, zegt ze. Mij maken ze nog altijd bang.

Onze vader haalt zijn inhalator uit zijn zak. Die heeft hij nodig om beter te kunnen ademen. Hij zet zijn mond aan de inhalator en blaast zich lucht toe. Zijn gezicht is asgrauw. Op zijn voorhoofd staan zweetdruppels.

"De mist," kucht hij. "Onderweg moest ik telkens weer... gaan zitten."

We hebben geen auto. Hij gaat te voet naar zijn werk.

"Kon je niet bellen?" zegt onze moeder. "Dan had ik de knoedels warm gehouden."

"Ik heb geen honger," antwoordt hij en hij verdwijnt in de slaapkamer.

Ik loop naar de keuken om een glas water te halen.

Als ik de slaapkamer binnenkom, zit onze vader in bed met achter zijn rug een paar dikke kussens. Als hij gaat liggen, valt het ademen hem nog moeilijker.

Ik geef hem zijn glas en hij neemt zijn tabletten in. Daarna inhaleert hij opnieuw. Ik zou graag iets aardigs tegen hem zeggen, maar er schiet me niets te binnen.

"Je staart alsof je nog nooit een astmapatiënt hebt gezien," snauwt onze moeder me toe.

"Ik... het was niet de bedoeling om te staren."

"Ga nou maar. Papa moet rusten."

Hij schudt haast onmerkbaar zijn hoofd.

"Ik geloof dat papa graag zou hebben dat ik nog even blijf," zeg ik.

"Onzin," spreekt onze moeder me tegen. "Zie je niet hoe moeilijk hij het heeft? Waarschijnlijk moeten we de ambulance bellen."

"Geen ambulance," zegt onze vader. "Het gaat alweer... beter."

Maar het gaat niet beter en een halfuur later belt onze moeder dokter Bienstein, onze huisarts. Wanneer papa een aanval heeft, komt dokter Bienstein soms nog heel laat op visite.

"Hij komt dadelijk," zegt ze na het gesprek. "Een geluk dat we dokter Bienstein hebben."

Voor Hanna is het ook een geluk. Ze mag uit de badkamer. In de keuken geef ik haar de chocoladereep van mevrouw Beckmann.

Niet lang daarna belt dokter Bienstein aan. Hij onderzoekt onze vader en geeft hem een spuitje.

"Zo kunt u dadelijk goed slapen," belooft hij.

"Ik wou dat er voor mij ook zoiets was!" zegt onze moeder.

"Ja, voor u is het ook niet gemakkelijk," geeft dokter Bienstein haar gelijk. "Uw man, het huishouden, twee kinderen... En Wolfgang in de moeilijke leeftijd."

"Nee, niet Wolfgang. Hanna."

"Hanna? Eigenlijk is zij daarvoor nog wat te jong."

"Bij sommigen begint het vroeger," zegt onze moeder. "Hadden we nou maar een groter appartement," voegt ze eraan toe.

Wij hebben maar twee kamers. Daarom moeten we wakker blijven tot dokter Bienstein weer weg is.

Wanneer ik eindelijk in bed lig, kan ik de slaap niet vatten omdat onze vader zo moeilijk ademt en voortdurend inhaleert. Het spuitje van dokter Bienstein schijnt deze keer in het geheel niet te werken. Doorgaans slaapt onze vader in

18

de woonkamer op de bank. Maar als hij een astma-aanval heeft, stopt onze moeder hem in de slaapkamer in bed. Dan slaapt zij op de bank.

Ook Hanna is nog wakker want ik hoor haar fluisteren: "Papa? Weet je hoe je kunt vliegen?"

"Nee," antwoordt hij.

"Zal ik het je vertellen?"

"Ja." Hij moet hoesten.

"Als je je gedachten heel licht maakt, dan vlieg je."

"En denk je dat het ook... bij mij werkt?"

"Beslist."

"Maar als mijn gedachten toch zo zwaar zijn?"

"Hoe zwaar?" wil Hanna weten.

"Heel zwaar."

"Zo zwaar als een olifant?"

"Ja."

"In dat geval is het heel gemakkelijk," zegt Hanna. "Let op: neem je handen en zwaai met je duimen. Nu heb je twee olifanten met een lange slurf. Als je je handen nu omhoog laat fladderen, kunnen de olifanten vliegen."

"Olifanten..." mompelt onze vader. "Ik geloof dat ik als kind ook zulke spelletjes gespeeld heb."

"Nu moet je al je zware gedachten op hun rug laden," eist Hanna.

"Allemaal? Kunnen ze dat wel dragen?"

"Ja. Olifanten zijn sterk."

"Goed dan." Onze vader inhaleert.

"Heb je ze op hun rug geladen?"

"Ja."

"Laat ze dan nu vliegen."

"Vlieg, vlieg weg, zware gedachten," zegt onze vader.

"En? Ben je ze kwijt?" vraagt Hanna.

"Ja. Alleen ben ik bang dat ze terugkomen."

"Maar voorlopig zijn ze in India, het land van de olifanten. En dat is heel ver weg."

"Ja, dat is heel ver weg."

Even is het stil. Daarna vraagt Hanna: "Papa?"

"Ja?" vraagt hij terug.

"Bid jij wel eens?"

"Nee."

"Mag ik dan voor jou bidden?"

"Als je het echt niet kunt laten."

"Nee, ik kan het echt niet laten."

Ik hoor onze vader hoesten.

Dan fluistert Hanna: "Onze Lieve Heer heeft gezegd dat hij heel veel van je houdt."

"Echt waar? Ook al geloof ik eigenlijk niet in hem?"

"Ja, zelfs dan. Onze Lieve Heer heet namelijk zo omdat hij van ons allemaal houdt. Slaap lekker, papa."

"Slaap lekker, Hanna."

Omdat hij van ons allemaal houdt... In dat geval zou hij zelfs van onze moeder houden, denk ik. En met die gedachte slaap ik in.

De volgende ochtend zegt onze moeder geen woord tegen Hanna. Voor straf, omdat ze zich niet verontschuldigd heeft. Soms zwijgt ze dagenlang, tot Hanna het niet meer uithoudt.

Maar ook tegen mij zegt ze niet veel. Ik denk dat ze zich zorgen maakt omdat onze vader ziek is en hij zijn baan zou kunnen verliezen. Verleden jaar is hij drie maanden thuisgebleven. Een ware hel, zegt ze. Maar eigenlijk was het voor Hanna en mij heel prettig omdat onze vader ons toen vaak meenam op uitstapjes.

Nu weten wij bijvoorbeeld hoe je haver van gerst kunt onderscheiden. Onze vader weet namelijk heel veel over de natuur. Vroeger ging hij naar het gymnasium, maar een jaar voor het eindexamen moest hij afhaken omdat zijn astma te erg werd, zegt hij.

Het liefste was hij dichter geworden. Hij heeft alleen maar voor opticien gestudeerd om zijn ouders een plezier te doen. Hij schrijft nog steeds gedichten. Voor haar verjaardag, met Pasen, voor moederdag en met Kerstmis krijgt onze moeder altijd een gedicht van hem, vaak twee of drie bladzijden lang.

Terwijl ze helemaal niet van zijn gedichten houdt. Ze bedankt hem kort en bergt ze op.

Hanna wil ook graag gedichten schrijven als ze groot is. Daarom kijkt ze er nu al naar uit om naar school te gaan.

Onze moeder wil dat Hanna later in geen geval een armoedig kunstenaarsbestaan gaat leiden, zoals zij dat zelf noemt. Ze wil dat Hanna secretaresse wordt. Of nog beter, directiesecretaresse, omdat ze dan een goede partij vormt voor de mannen. Ik weet niet precies wat ze daarmee bedoelt. Maar ik denk dat een goede partij het exacte tegendeel is van onze vader.

Onze moeder zegt dat hij haar in de val heeft gelokt omdat hij haar voor hun huwelijk niets over zijn astma heeft verteld. Bij zijn eerste aanval dacht ze dat hij zou stikken. Zijn gekuch en gereutel klinken inderdaad angstaanjagend.

In elk geval ben ik blij dat ik na het ontbijt naar school kan. Ik vind het alleen jammer voor Hanna, omdat ze verplicht is thuis te blijven. En thuis betekent nu het noorden van Groenland in de winter.

Tijdens de taalles praten we over engelen, ook al wilde meneer Findling ons eigenlijk een dictee opgeven.

Aan het einde van de les staat er een schema op het bord:

DE HEMEL

Eerste orde
   Serafijnen, cherubijnen, tronen
   Zij zijn het dichtst bij God

Tweede orde
   Heerschappijen, krachten, vorstendommen
   Zij besturen het heelal

Derde orde
   Machten, aartsengelen, bewaarengelen
   Zij zijn de vechters van het licht tegen de duisternis

Bij het noteren denk ik dat er nog een vierde orde hoort te zijn. En met potlood, zodat ik het weer kan uitgommen, schrijf ik in mijn schrift voor taal:

Vierde orde
   De heel kleine engeltjes, zoals Hanna
   Zij brengen Gods liefde naar gezinnen die een ware hel zijn

Maar na even nadenken gom ik 'die een ware hel zijn' toch weer uit. Want ons gezin is niet altijd een ware hel. Soms, als onze moeder in een goed humeur is, kan het zelfs heel gezellig zijn.
   Ik schrijf: *die ze heel erg nodig hebben.*

23

Wanneer ik thuiskom van school en aanbel, hoor ik stemmen in ons appartement. Mijn eerste gedachte is dat het brancardiers zijn die onze vader willen meenemen. Maar op dat moment doet mevrouw Dull de deur open. Ze heeft haar gebloemde stofjas aan en de panty met de ladders erin die ze altijd aantrekt als ze moet schoonmaken omdat een gewone panty daarvoor te goed is.

"Je bent te vroeg," zegt ze. "Je moeder en ik zijn nog volop bezig."

Mevrouw Dull is een draak, zegt onze moeder. Maar ze wordt er ook niet voor betaald om vriendelijk te zijn, maar wel om te werken. En voor het ruwe werk kun je je geen betere kracht wensen. Ik weet niet wat het ruwe werk bij ons inhoudt omdat, wanneer mevrouw Dull er is, Hanna en ik altijd naar buiten worden gestuurd. In elk geval heeft onze moeder er een hekel aan om het ruwe werk zelf te doen. Ze heeft zelfs ruziegemaakt met onze vader omdat hij niet inziet waarom zij een schoonmaakster nodig zou hebben. Toen heeft ze hem voorgehouden dat ze tenslotte twee kinderen en een eeuwig zieke man te verzorgen heeft. Dat heeft hem toen overtuigd.

"Is Hanna er?" vraag ik.

Mevrouw Dull schudt haar hoofd en wil de deur sluiten.

Haastig vraag ik: "En mijn vader?"

"In de kelder," antwoordt ze. Met een kwaadaardig lachje voegt ze eraan toe: "Schoonmaken doet hem geen goed."

"Omdat hij astma heeft," neem ik hem in bescherming.

"In dat geval moest hij maar gelijk naar buiten, in de frisse lucht," vertelt ze. "Maar je moeder zegt dat hij altijd naar de kelder trekt om gedichten te schrijven!"

Het woord 'gedichten' spreekt ze uit alsof het om iets gaat wat ze nog in geen duizend jaar zou willen vastpakken.

"Alleen maar omdat er bij ons niet genoeg plaats voor is," antwoord ik.

"Niet alleen daarom," antwoordt ze. "Je moeder zegt dat hij rookt in de kelder."

"Af en toe," geef ik toe. "Een of twee."

"Zie je wel!" triomfeert mevrouw Dull.

Met die woorden klapt ze de deur voor mijn neus dicht.

Maar vandaag is onze vader niet naar de kelder getrokken om te roken of om gedichten te schrijven. Hij zit in de oude fauteuil die hij van de vuilniswagen gered heeft en die onze moeder onder geen voorwaarde in ons appartement wil hebben. Hij heeft moeite met ademen.

"Dag papa," zeg ik wanneer ik binnenkom.

"Dag Wolfgang," antwoordt hij met doffe stem. Als het niet goed gaat met onze vader, weet ik nooit waarover ik met hem moet praten.

"Het schoonmaken zal wel gauw afgelopen zijn," zeg ik.

Hij hoest.

"Als het boven weer schoon is, kun je vast weer beter ademen," probeer ik nog een keer.

"Ja."

"Wil je dat ik je iets voorlees?"

Hij schudt zijn hoofd.

"Zal ik iets te drinken voor je halen?"

"Nee." Hij wijst naar de karaf met water en zijn tabletten naast hem op de dekenkist.

Ik moet aan afgelopen nacht denken, hoe zorgeloos Hanna met hem over zoiets gewichtigs als Onze Lieve Heer praatte.

"Waar is Hanna eigenlijk?" vraag ik.

"Buiten."

"Buiten? Maar ik heb haar op weg naar huis helemaal niet gezien."

Onze vader inhaleert.

"Zal ik even gaan kijken waar ze is?"

Hij knikt. "Ja, doe dat maar."

"Tot zo dan," zeg ik. Ik ben blij dat ik uit de kelder weg kan.

Ik vind Hanna op het pleintje achter ons huis waar 's zomers de was wordt opgehangen. Ze gooit haar rode bal tegen de huismuur en vangt hem weer op terwijl ze erbij vertelt. Verhalenballen noemen we dit spel en gewoonlijk zijn we met meer kinderen als we het spelen. Maar nu is Hanna helemaal alleen.

"Dag Hanna," zeg ik.

Ze onderbreekt haar verhaal niet.

"En toen zei de boze koningin tegen de prinses: 'Ik zal

je ogen uitkrabben en je vingers afhakken en daarna hak ik je voeten af en gooi ik je in de oven en leg een stevig vuur aan zodat je verbrandt. En wanneer je verbrand bent, gooi ik je in zee, waar ze het diepste is. En dan komen de haaien en vreten je as op tot er van jou helemaal niets meer over is.'"

"Hanna," zeg ik geschrokken.

Ze schudt haar hoofd. Bij het verhalenballen mogen de luisteraars niet onderbreken.

"Toen antwoordde de prinses: 'Als je dat doet, zal mijn vriendin de zon je verbranden, tot je zwart bent als teer. En mijn vriendin de maan zal reuzegrote steenblokken op je kop gooien en mijn vrienden de sterren zullen giftige stralen sturen.' Toen ze dat hoorde, was de boze koningin hevig ontsteld en zei: 'Als je zulke machtige vrienden hebt, hak ik je vingers liever niet af.'"

Hanna houdt even op. "Mooi hè?" zegt ze.

"Mooi?" herhaal ik. Anders gaan Hanna's verhalen over meisjes die gewonde dieren verzorgen of oude mensen helpen.

"Mooi dat de prinses gewonnen heeft," legt Hanna uit. "De boze koningin dacht dat ze met de prinses kon doen waar ze zin in had. Maar de prinses had ook nog een paar helpers."

"En de koning?" vraag ik.

"De koning? Die is niet veel beter."

"Echt waar?"

"Ja. Hij trekt zijn harnas nooit uit. 's Nachts doet de prinses geen oog dicht omdat zijn harnas zo rinkelt. Zelfs als de koning slaapt, rinkelt het harnas."

"Maar verder is de koning lief tegen de prinses?"

"Nee." Hanna begint weer met haar spel. "Op een dag kwam de koning de kamer van de prinses binnen," vertelt ze. "'En jij, nietsnut, hebt onze allerbeste koffie weggegeven?' schreeuwde hij. 'Ik heb hem niet weggegeven,' antwoordde de prinses. 'Ik heb hem alleen maar uitgeleend aan een vrouw uit het buurkoninkrijk die geen koffie meer had.' Maar daarop werd de koning nog woedender en schreeuwde: 'Weet je dan niet dat het de koffie uit het Morgenland was, de duurste koffie ter wereld? Nu moeten we nieuwe koffie uit het Morgenland kopen. Maar deze keer betaal jij de koffie, van je spaargeld.' En hij sloeg het spaarvarken van de prinses kapot en pakte al haar geld af. Het was veel meer dan de koffie had kunnen kosten."

"Hij heeft het spaarvarken kapotgeslagen en al het geld meegenomen?" zeg ik onthutst.

"Ja. En nu kan de prinses de mooie japon voor haar pop niet meer kopen waarvoor ze zo lang gespaard heeft."

"De koning zal haar zeker het geld teruggeven dat hij te veel heeft meegenomen," wil ik haar troosten.

"Dat zal hij niet!" antwoordt Hanna. "De koning heeft gezegd dat dat een les zal zijn voor de prinses."

"Nu moet Petrea weer haar oude, versleten japon dragen," zegt ze na een tijdje.

28

Petrea is Hanna's pop. Ze heeft Petrea van de oude mevrouw Rosenboom gekregen, die gestorven is. Mevrouw Rosenboom speelde al met Petrea toen ze nog een klein meisje was. Onze moeder houdt niet van Petrea omdat ze er zo versleten uitziet en omdat ze met zaagsel gevuld is en je nooit kunt weten wat voor ongedierte zich daarin genesteld heeft. Daarom moet Hanna haar in de kelder houden.

"We zouden het aan Manfred kunnen vragen," stel ik voor. "Hij zegt dat zijn zus niet langer met poppen speelt. Misschien heeft ze poppenkleren over."

"Welke Manfred?"

"Strooien dakje."

"Ah, hij. Heeft zijn zus ook een strooien dakje?"

"Nee." Ik lach. "Ze heeft een paardenstaart."

"Een zwaardenbaard?" zegt Hanna ernstig. "Dat moet heerlijk zijn. Met zwaarden aan je kin durft niemand je spaarvarken nog kapot te slaan om je geld te pakken!"

Met een donkere blik gooit ze haar bal tegen de muur.

"Zullen we naar Manfred gaan om zijn zus om poppenkleren te vragen?" stel ik voor.

Ze knikt. "Het kan mama toch niet schelen waar ik ben."

"Niet waar," spreek ik tegen.

"Jawel. Ze heeft tegen mevrouw Dull gezegd dat ik wat haar betreft naar de pomp mocht lopen."

"Dat zei ze alleen maar omdat ze woedend was."

"Woedend? Mama was helemaal niet woedend. Ze was

zo koud als ijs."

"Toch kan ze woedend geweest zijn," antwoord ik. "Mama is anders woedend dan de meeste mensen, koud woedend kun je zeggen."

"Koud woedend?"

"Ja."

"Heet woedend vind ik veel, veel beter," zegt Hanna. "Zo weet je tenminste dat iemand woedend is."

In stilte geef ik haar gelijk.

Annette, Manfreds zus, heeft inderdaad nog een heleboel poppenkleren. Hanna mag er zes uitzoeken en Annette geeft haar zelfs nog een poppenkoffer met een stang waar je kleertjes aan kunt hangen en piepkleine kleerhangertjes.

Hanna is dolgelukkig. Op weg naar huis vertelt ze dat ze Petrea van nu af aan elke dag een andere japon zal aantrekken. Onze moeder doet de deur open. De geur van schoonmaakmiddelen en boenwas slaat ons in het gezicht, maar mevrouw Dull is gelukkig al weg. Ik hoor onze vader in de slaapkamer inhaleren.

Met een gefronst voorhoofd wijst ze naar Hanna's poppenkoffer. "Wat moet dat met die afschuwelijke oude koffer? Heb je die op straat gevonden?"

"Nee. Manfreds zus heeft hem aan Hanna gegeven," antwoord ik. "En bovendien nog zes poppenkleren voor Petrea."

"Petrea? Die zal geen kleren meer nodig hebben," zegt onze moeder.

"Waarom niet?" vraag ik.

"Omdat mevrouw Dull haar meegenomen heeft."

Hanna gilt het uit.

"Maar het is toch Hanna's pop," werp ik tegen.

"Ja!" schreeuwt Hanna. "Het is mijn pop."

"Als Hanna zich niet aan de afspraken houdt..." antwoordt onze moeder koel.

"Wat voor afspraken?" wil ik weten.

"Heb ik haar niet heel duidelijk gezegd dat ze die vreselijke pop in geen geval het appartement binnen mag brengen? Maar nee, ze verstopt die smerige strobaal onder haar bed en mevrouw Dull, uitgerekend mevrouw Dull, moet haar bij het schoonmaken vinden. Wat voor een indruk moet ze nu van ons gezin hebben!"

"En wat gaat mevrouw Dull met Petrea doen?" vraag ik.

"Wat mevrouw Dull met die afstotelijke pop gaat doen?" Onze moeder lacht schril. "In de afvalbak gooien, wat anders?"

"Dat kan ze niet doen," stamelt Hanna.

"Dat kan ze zeker wel doen," antwoordt onze moeder.

"Maar mevrouw Rosenboom heeft gezegd dat Petrea kostbaar is omdat ze zo oud is," zeg ik.

"Precies!" laat onze vader vanuit de slaapkamer weten. "Die pop is antiek. Daar betalen verzamelaars veel geld voor."

"Zo antiek als die rommel in je kelder, zeker?" antwoordt onze moeder. "Ik wil je alleen maar even laten

31

weten: wanneer je er een keer niet meer bent, is het eerste wat gebeurt het uitmesten van je kelder en wel door de vuilophaaldienst!"

Onze vader uit een kreunend geluid; dan inhaleert hij.

Ik kijk Hanna aan. Ze heeft haar lippen stijf op elkaar geperst en haar ogen glanzen vochtig. Alsof ze huilt, maar dan heel diep binnenin waar niemand de tranen kan zien.

Ik wil haar troosten, maar ze draait zich om en verdwijnt in de slaapkamer.

"Ja, ga maar naar bed. Ik wil je niet meer zien," roept onze moeder haar achterna. "En morgenvroeg verwacht ik een verontschuldiging van je."

"En je chocoladepudding krijgt Wolfgang nu," voegt ze eraan toe.

Hanna antwoordt niet. Waarschijnlijk is ze allang in India, samen met haar olifanten, denk ik. En honger zal ze ook niet hebben. Bij Annette heeft ze een groot stuk appeltaart gekregen.

Wanneer ik in bed lig, hoor ik mijn vader opstaan. Eerst denk ik dat hij naar het toilet moet, maar dan hoor ik hem zijn hemd en broek aantrekken en zijn schoenen dichtmaken.

Stil doet hij de deur naar de woonkamer open.

"Ben jij het?" zegt onze moeder. "Waarom ben je aangekleed?"

"Ik wil de pop halen," antwoordt hij.

"Wát wil je?"

"De pop halen."

Een ogenblik lang is onze moeder sprakeloos.

"Ik wil haar niet voor Hanna," zegt hij. "Maar die pop is ongetwijfeld iets waard. En waarom zouden de vuilnismensen het geld in hun zak steken?"

"Denk je dat ik toesta dat je de afvalbakken doorsnuffelt?" schreeuwt onze moeder.

"Het is toch donker. Niemand zal me zien."

"Jij gaat in geen geval. Ga weer naar je bed."

"Ik..." Onze vader snakt naar lucht.

"Jij wilt 's nachts de straat op, met je astma? En ik mag je er later weer bovenop helpen!"

Hij begint te inhaleren.

Ik duw mijn oren dicht. Maar dan nog hoor ik zijn inhalator met de luide stem van onze moeder ertussen. Uiteindelijk gaat de deur weer open en komt onze vader weer naar binnen.

Hij krijgt haast geen adem meer.

"Papa?" vraag ik met bonzend hart.

"Wat?"

"Morgenvroeg ga ik naar mevrouw Dull. Onderweg kijk ik in alle papiermanden en afvalbakken."

Hij inhaleert. "Hopelijk is het dan nog niet... te laat."

"Ik zou nu al willen gaan. Maar dat zou mama beslist niet toestaan."

"Je bent een lieve jongen," zegt hij zwak.

Hij inhaleert opnieuw. "En als je haar vindt, verstop haar dan goed... voor mama."

"Ja, papa."

Donderdag 3 oktober

's Ochtends ligt papa niet meer in zijn bed. Maar het ziet er niet naar uit alsof hij alleen maar naar de badkamer is gegaan, want het laken is afgehaald en zijn deken ligt opgevouwen aan het voeteneinde. Hanna slaapt nog. Ik loop op de puntjes van mijn tenen naar de deur. In de keuken tref ik onze moeder.

"Is papa naar zijn werk?" vraag ik.

"Naar zijn werk?" Ze lacht, maar het klinkt niet vrolijk.

"Papa is afgelopen nacht naar het ziekenhuis gebracht. Heb je het niet gehoord?"

"Nee."

"Jullie kinderen zijn werkelijk te benijden. Jullie kunnen door elk lawaai heen slapen." Onze moeder zucht diep. "Ik heb de hele nacht geen oog dichtgedaan. Maar nu is papa tenminste in goede handen. En in het ziekenhuis heeft hij alles wat hij nodig heeft."

Hanna komt de keuken in.

"Is papa er niet?" vraagt ze aan onze moeder, maar die keert haar alleen maar haar rug toe.

"Papa is in het ziekenhuis," leg ik uit.

"In het ziekenhuis?" zegt Hanna me na.

Ik knik en fluister: "Je moet je verontschuldigen."

Hanna schudt koppig haar hoofd. Daarna laat ze weten: "Papa is in het ziekenhuis zodat mama haar handen vrij heeft."

Onze moeder keert zich met een ruk om. "Wát zei je?"

"Je handen vrij voor de reünie," voegt Hanna eraan toe.

"Zeg dat nog een keer!" eist onze moeder met een knalrood gezicht.

Hanna bijt op haar lippen.

"Wacht maar!" roept onze moeder. Ze grijpt Hanna bij haar haar. "Dat laat ik me door jou niet zeggen, jij stuk ongeluk. Jij... satanskind. Uit mijn ogen."

Ze sleurt Hanna naar de badkamer en duwt haar naar binnen.

Hanna laat alles gelaten gebeuren. Ze klaagt niet, ze verzet zich niet.

Zelfs wanneer onze moeder de deur op slot doet en roept: "Je kunt daarbinnen blijven tot je zwart ziet. Zo zwart als je ziel nu al is," protesteert ze niet.

Op zulke ogenblikken maakt Hanna altijd een heel bovenaardse indruk op me. Ik geloof dat alleen engelen zo zacht en breekbaar en tegelijk zo sterk zijn.

Voor ik naar school ga, fluister ik haar nog toe dat ik wil proberen Petrea te vinden.

Jammer genoeg vind ik van Petrea geen spoor, want ik kan alleen maar oppervlakkig in de afvalbakken kijken, vanwege de buren. Die zouden aan onze moeder overbrieven dat ik in de afvalbakken gescharreld heb. En dan zou onze moeder me ervan beschuldigen dat ik net zo ben als mijn vader. 's Middags, op weg naar huis, verwijt ik mezelf dat ik bij Hanna valse hoop gewekt heb. Het was beter geweest als ik niets had gezegd. In dat geval zou ze nu niet teleurgesteld zijn omdat ik Petrea niet gevonden heb. Natuurlijk zit ze nog in de badkamer opgesloten! Natuurlijk heeft ze zich de hele tijd op Petrea verheugd!

Maar tot mijn verrassing doet Hanna de deur open. Haar haar is gevlochten en in haar hand houdt ze een lolly. Op de achtergrond hoor ik schlagermuziek.

Ze wijst naar haar vlechtjes en giechelt: "Mevrouw Karschewski..."

"Aha," zeg ik.

Mevrouw Karschewski was vroeger kapster. Wanneer onze moeder iets belangrijks gaat doen, kapt mevrouw Karschewski haar haar.

Eigenlijk had ik moeten weten dat mevrouw Karschewski vandaag zou komen, want onze moeder heeft morgen haar reünie.

Bij haar is het goedkoper dan bij de kapper en bovendien persoonlijker. Het is ook voordelig voor Hanna en mij als mevrouw Karschewski komt omdat het er dan altijd heel vrolijk aan toegaat. Ze moet merken dat we een gelukkig gezin zijn en dat moet ze aan de andere mensen in het appartementsgebouw doorvertellen.

Mevrouw Karschewski woont een verdieping hoger en wie zo dichtbij woont mag in geen geval een slechte indruk krijgen, zegt onze moeder.

Mevrouw Dull is een ander geval. Zij woont ver genoeg en kan in ons gebouw niets rondvertellen omdat ze hier niemand kent behalve ons.

En met mevrouw Beckmann is het weer anders. Ze woont wel in hetzelfde gebouw als wij, wel met een andere ingang, maar ze is hier nieuw en heeft nog geen kennissen. Mevrouw Beckmann zal wel oppassen om kwaad over ons te spreken, ze zou alleen maar zelf in een slecht daglicht komen te staan.

"Vertel, hoe was het op school?" roept onze moeder wanneer ik de woonkamer binnenkom.

Ik weet dat ze nu een uitvoerig verslag van me verwacht, voor mevrouw Karschewski, die me ook al opgewekt toeknikt. Mevrouw Karschewski is het haar van onze moeder op rollers aan het winden. Ze houdt de krulpennen tussen haar lippen geklemd, daarom kan ze niet spreken.

"Nou, eerst..." begin ik. "Eerst hadden we sport."

"Wolfgang is zo sportief," zegt onze moeder. "Je hebt zeker wel een doelpunt gemaakt bij het voetballen?"

"Nee, twee," beweer ik. Maar we hebben helemaal niet gevoetbald want het is buiten al te koud. In plaats daarvan hebben we aan de toestellen geturnd.

"En na de sport? Toen hebben jullie zeker een opstel

geschreven?" dringt onze moeder aan.

Tegen mevrouw Karschewski zegt ze: "Wolfgang is de beste opstelschrijver van zijn klas."

"Daarna hadden we tekenen," zeg ik.

"Ja, en?" peilt onze moeder.

"Dat mogen we niet vertellen." We zijn vandaag aan het ontwerp van de omslag voor ons engelenboek begonnen. Maar meneer Findling heeft ons op het hart gedrukt er thuis niets over te vertellen.

"Waarom mogen de ouders er niets over horen?" vraagt onze moeder ontevreden.

"Omdat het een verrassing moet blijven," antwoord ik.

"Beel-dig," lispelt mevrouw Karschewski.

"Goed dan, als het een verrassing moet blijven..." Onze moeder glimlacht zoet. "En wat deden jullie daarna? Rekenen?"

Ik knik.

"Wolfgang is niet alleen de beste opstelschrijver van zijn klas," zegt onze moeder tegen mevrouw Karschewski. "Hij is bovendien ook heel goed in rekenen. Dat is toch zo, hè Wolfgang?"

"Ja."

Mevrouw Karschewski steekt de laatste krulpen in de laatste roller. Daarop zegt ze: "U bent werkelijk te benijden. Als je andere moeders hoort, welke problemen die met hun kinderen hebben."

"Het is allemaal een gevolg van de opvoeding," antwoordt onze moeder. "Hoewel het bij ons in het gezin ook niet louter rozengeur en maneschijn is." Ze kijkt beschuldigend naar Hanna. Maar Hanna heeft helemaal niets gedaan. Ze staat daar alleen maar aan haar lolly te likken.

Mevrouw Karschewski trekt een dun, zwart haarnetje over de krulspelden. "U bedoelt, omdat uw man bijna voortdurend ziek is?" vraagt ze nieuwsgierig.

"Voortdurend? Hoe komt u bij voortdurend?" antwoordt onze moeder. "Het is alleen maar dit mistige weer dat mijn man niet verdraagt. Maar wie wel?"

"Ja, wie wel," stemt mevrouw Karschewski in. "Ik heb altijd pijn aan mijn gewrichten met dit weer."

Waarop ze over de gewrichten van mevrouw Moosbach begint. Die zouden zo afgetakeld zijn dat mevrouw Moosbach binnenkort in een rolstoel zou belanden.

Net als die arme meneer Sulzer, die in een rolstoel zit sinds hij in de oorlog zijn benen is kwijtgeraakt. Nee, niet in een rolstoel. Helemaal in het begin had hij maar een omgebouwde kinderwagen.

"Veel mensen moeten ontzettend lijden," zegt mevrouw Karschewski. "Dan vraag je je toch af waarom Onze Lieve Heer de één een lichte en de andere een zware last oplegt."

"Ja, dat vraag je je af, zeker," stemt onze moeder met haar in.

Er valt een stilte.

"Mag ik nu mijn huiswerk maken?" vraag ik.

Mevrouw Karschewski kijkt op haar horloge en klapt

haar handen in elkaar.

"Is het al zo laat?" roept ze uit. "Mevrouw Unterberger verwacht me voor haar permanent."

"En ik moet me met Wolfgang bezighouden," zegt onze moeder. "Hij heeft vast honger als een paard, na zo'n inspannende voetbalwedstrijd."

"Ja," bevestig ik.

"Over twee uur kom ik terug om uw haar uit te kammen," deelt mevrouw Karschewski mee en ze verdwijnt.

Onze moeder warmt de vermicellisoep voor ons op en gaat dan in de woonkamer onder de haardroger zitten.

Onder het eten vertel ik Hanna dat ik in alle afvalbakken heb gekeken, maar dat ik Petrea jammer genoeg niet gevonden heb.

"Dat is niet erg," zegt ze.

"Is dat niet erg?" vraag ik verbaasd.

"Petrea is nu bij Onze Lieve Heer, in de poppenhemel," legt ze uit.

Ik geloof eerder dat Petrea op de vuilnisbelt is beland. Maar dat hou ik voor mezelf.

"Wil je dan misschien Knuffie hebben?" vraag ik. Knuffie is mijn teddybeer.

"Geleend of voor altijd?"

"Geleend."

"Niet geleend," zegt ze.

"Nou dan... voor altijd."

41

Ze schudt haar hoofd.

Diep in mijn hart voel ik me opgelucht. Ik heb Knuffie nu al zo lang dat hij me zeker vreselijk zou missen.

"Of wil je een nieuwe pop?" stel ik voor. "Zal ik aan Annette vragen of ze er een over heeft?"

"Nee. Met olifanten spelen is beter," zegt ze terwijl ze haar duimen zo beweegt dat ze er als olifantenslurven uitzien.

"Die kan niemand je afpakken, niemand op de hele wereld."

"En opsluiten kunnen ze ze ook niet," voegt ze eraan toe. "En als iemand het toch probeert, dan vliegen de olifanten hoeii" - ze laat haar handen omhoogvliegen - "gewoon weg. En dat kan Knuffie niet, of wel?"

"Nee," zeg ik.

Hanna glimlacht. "Raad eens waarheen we vanochtend gevlogen zijn?"

"Naar India?"

"Nee, verder."

"Naar Afrika?"

"Nee, veel verder."

"Naar de hemel?"

"Hoe weet je dat?"

"Gewoon, geraden."

"Ja, we waren in de hemel," zegt Hanna. "Ik wilde zien wat er van Petrea geworden was. En stel je voor: ze zat op een gouden wolk, samen met een heleboel andere poppen.

De meeste waren nog ouder en nog meer versleten dan Petrea. Bij een heleboel stak het stro eruit; bij een heleboel ontbrak een arm of een been en een pop had geen ogen meer. Maar ze lachten allemaal en ze waren gelukkig. En weet je waarom?"

"Omdat ze in de hemel waren?"

"Ja! En omdat niemand meer naar hen wees en zei: 'Wat een afzichtelijke oude pop, die hoort bij het vuilnis.' Dat is namelijk het mooie aan de hemel, dat je zo mag zijn als je bent."

Ze zucht zacht. "Maar weet je wat het allermooiste is?"

"Nee, wat?" vraag ik.

"Dat ze ondanks alles van je houden in de hemel."

Ik bijt op mijn lippen. Ik zou Hanna graag zeggen dat ik nu al van haar hou, hier op aarde. Maar ik weet niet hoe ik moet beginnen.

Nu roept onze moeder: "Ben je aan je huiswerk bezig, Wolfgang?"

"Ja, mama!" roep ik terug.

Hanna kijkt me met grote ogen aan. "Maar dat ben je niet!"

"Nog niet," antwoord ik en ik breng onze borden naar het aanrecht.

Daarop veeg ik de tafel schoon en spreid er mijn schriften en boeken over uit.

Hanna haalt haar tekenblok en stiften. "Ik teken naamkaartjes voor de tafel," kondigt ze aan. "Als verrassing voor mama's reünie. Niemand tekent zo goed als ik, heeft mama gezegd."

"Heeft ze dat gezegd?"

"Ja. Tegen mevrouw Karschewski."

In dat geval stelde het niet veel voor, denk ik. "Mama zal al wel naamkaartjes hebben."

"Nee. Ze heeft tegen mevrouw Karschewski gezegd dat ze absoluut nog naamkaartjes moet hebben en kaarsen en..." Hanna fronst haar voorhoofd, "en stoute bengels voor de dames."

"Je bedoelt waarschijnlijk zoute stengels."

"Ja. En tandenstekers. Omdat tante Annie zulke lange tanden heeft met gaten ertussen." Hanna giechelt.

"Het zijn tandenstokers," verbeter ik.

"Tandenstekers," zegt Hanna.

Ze tekent haar eerste naamkaart: een grote, rode vliegenzwam. "Voor tante Gretel," legt ze uit en ze laat zich de naam door mij voorschrijven. Tante Gretel heeft als enige van de reünie een eigen huis met een grote tuin. Hanna en ik zijn een keer door tante Gretel uitgenodigd, maar we mochten alleen op de paden lopen en nergens aankomen en niets plukken.

Op de volgende naamkaart tekent Hanna een zonnebloem. "Die is voor tante Hannelore," verraadt ze. "Papa zegt dat tante Hannelore de fijnste van de reünie is."

"Papa." Vreemd, ik heb de hele tijd niet meer aan hem

gedacht. "Weet je hoe het met papa gaat?" vraag ik.

"Ja. Goed."

"Heb je hem in het ziekenhuis bezocht?"

"Nee, daar had mama geen tijd voor. Maar ze heeft gebeld. De dokter heeft gezegd dat het goed gaat met papa en dat hij hoogstwaarschijnlijk dinsdag naar huis kan. Toen heeft mama gezegd: 'God zij dank'."

"God zij dank?" Ik bedenk wat onze moeder daarmee bedoeld kan hebben.

"God zij dank dat hij zo snel weer naar huis mag?"

"Nee. God zij dank dat hij er met de reünie niet is."

"Maar hij gaat toch altijd naar de kelder wanneer mama een reünie houdt," zeg ik.

"Evengoed," antwoordt Hanna. "Nu is hij uit de vuurlinie."

"Heeft mama dat gezegd?"

"Nee. Mevrouw Karschewski."

In de woonkamer wordt de droogkap uitgezet. Ik krimp geschrokken in elkaar.

Door Hanna was ik zo afgeleid dat ik niet eens echt met mijn huiswerk begonnen ben.

"Wolfgang, ben je klaar?" roept onze moeder.

"Och, bijna," stotter ik.

"Je moet nog naar de winkel." Ze komt de keuken in. Haastig slaat Hanna de bladen van haar tekenblok om zodat mama haar naamkaarten niet ziet.

"Ik schrijf voor je op wat we nodig hebben," zegt onze

moeder. "Koffie, de beste die ze hebben, Mozartkogels, nogabonbons. Die koop je in de koffiewinkel. Daarna ga je naar de papierhandel en koopt naamkaarten voor op tafel. Maar laat je niet van die moderne aansmeren. Kies ordentelijke. Het beste kun je het aan de verkoopster vragen."

"Ja, mama," zeg ik.

Hanna schudt haar hoofd en fluistert: "Geen naamkaarten," maar zo zacht dat onze moeder het niet hoort.

"Daarna ga je naar de drogist om rode en witte kaarsen te kopen." Onze moeder geeft me geld en ik vertrek.

Ik voel me niet echt lekker. Als ik geen naamkaarten meebreng, krijg ik ruzie met onze moeder. Bovendien gaat ze ze dan waarschijnlijk zelf kopen.

Maar als ik wel naamkaarten koop, is Hanna teleurgesteld omdat ik haar verrassing bedorven heb. En ik vind dat Hanna de laatste tijd al genoeg heeft meegemaakt.

In de papierhandel bekijk ik de verschillende kaarten. Ik weet nog altijd niet wat ik moet doen.

"Kan ik je helpen?" vraagt de verkoopster.

"Ja, misschien wel," zeg ik en ik vertel dat ik naamkaarten voor op tafel wil, maar geen moderne.

"Wat denk je van onze aanbieding?" Ze laat me witte, onbedrukte kaarten zien. "Die zijn volkomen tijdloos."

"Tijdloos?"

"Ja. Dat soort kaarten waren er tien jaar geleden al. En over tien jaar zullen ze er nog zijn. Ze zijn niet aan modes onderhevig."

"Dat is goed."

"Sommige klanten kopen ze ook omdat ze zelf de kaarten willen beschilderen," zegt ze.

"Zijn er mensen die de kaarten zelf beschilderen?" vraag ik opgewonden.

"Ja."

"Dan neem ik ze!"

Deze naamkaarten komen als geroepen, denk ik. Onze moeder zal er tevreden mee zijn omdat ze niet modern zijn. Dat ze in de aanbieding waren, zal ze ook leuk vinden. En Hanna kan niet triest zijn omdat onbedrukte naamkaarten niet mooier kunnen zijn dan haar zelfgemaakte.

Maar het pakt anders uit dan ik verwacht had.

Hanna maakt de deur open en vraagt zonder omwegen: "Heb je naamkaarten gekocht?"

"Ja. Maar alleen witte," antwoord ik.

"Je bent gemeen!" sist ze.

"Je kunt ze toch beschilderen," zeg ik.

"Poeh!" Ze draait zich om en verdwijnt in de woonkamer.

"Wolfgang? Heb je alles kunnen krijgen?" roept onze moeder.

"Ja." Ik loop naar de keuken en laat haar het pakje naamkaarten zien. "Ze waren zelfs in de aanbieding," zeg ik.

Er verschijnt een rimpel tussen haar wenkbrauwen. "Dit was dus een aanbieding?"

"Ja!"

"Waarom werden ze goedkoper aangeboden?"

"Waarom?" Ik denk na. "Omdat... omdat ze tijdloos zijn. Ze hebben ze al tien jaar."

"Wat zeg je?" schreeuwt onze moeder. "Je hebt je naamkaarten laten aansmeren die tien jaar in de winkel rondgeslingerd hebben? Ze moeten totaal vergeeld zijn!"

Ze pakt het pakje uit mijn hand en bekijkt het van alle kanten. Ineens weet ik niet meer zo zeker of ik wel een goeie koop heb gedaan.

"Enigszins wit zien ze er wel nog uit," zegt ze. "Maar mijn vriendinnen van de reünie kan ik dit soort winkelrestjes niet aanbieden. Zij zijn alleen het allernieuwste en beste gewend. Of wil je dat mijn dames volgend jaar wegblijven omdat ze zeggen dat ze bij ons alleen maar slechte koffie en stoffige naamkaarten krijgen?"

"N-nee," stotter ik.

Ze monstert me van top tot teen. "Je bent net als je vader," zegt ze dan. "Jullie zijn als betoverd door alles wat minderwaardig is. Goedkope aanbiedingen, winkelrestjes, troep en rotzooi, daar houden jullie van."

"Ik kan de kaarten gaan ruilen," bied ik aan.

"Ruilen?" Ze lacht hees. "Speciale aanbiedingen kun je niet ruilen. Nee, we moeten nieuwe kaarten kopen. Maar deze keer betaal jij, van jouw eigen zakgeld."

Er wordt gebeld. Met een totaal andere stem roept ze: "Oh, mevrouw Karschewski," en ze loopt naar de deur.

Vrijdag 4 oktober

De volgende ochtend drukt onze moeder me op het hart
om op weg naar huis onder geen beding te treuzelen. De
reünie begint om halfdrie, maar sommigen van de dames
komen al eerder. Mama's reünie-vriendinnen wonen allemaal in de stad, in de betere wijken. Wij wonen maar in de
voorstad omdat onze vader het beroepshalve niet ver ge-
schopt heeft. Om precies te zijn wonen we zelfs maar in de
voorstad van de voorstad. Daarom moeten de dames eerst
met de tram en daarna nog met de bus komen. En omdat
dat een halve wereldreis is, komen de meesten eerder. Een
aantal komt wel later, zoals tante Jessica, die ik de aardigste
vind. Tante Jessica heeft een huid zo bruin als koffie en
zwart kroeshaar. Hoewel ze een halfbloed is, hebben ze
Jessica vroeger altijd laten meespelen, zegt onze moeder.

Eigenlijk treuzel ik nooit op weg naar huis, maar vandaag
haast ik me nog meer dan gewoonlijk. Voor de dames er
zijn, moet ik me grondig wassen, ook al hebben we geen
sport gehad, en moet ik schone kleren aantrekken. Onze
moeder heeft ze al klaar gehangen: mijn blauwe clubjasje,
dat eigenlijk te warm is voor binnen, mijn zwarte broek,
waar ik nog een beetje in moet groeien en mijn witte hemd

met stijve boord.

Voor Hanna heeft onze moeder afgelopen week zelfs een nieuwe roze jurk gekocht. Hanna is vreselijk opgewonden wanneer ze hem mag aantrekken. Steeds opnieuw gaat ze zich in de grote spiegel bewonderen.

"Wie er als een engel uitziet, moet zich ook zo gedragen," prent onze moeder haar in.

Hanna knikt.

"Beloof je dat je zoet zult zijn?"

"Ja," zegt Hanna.

Om tien voor twee gaat de deurbel. Onze moeder uit een verschrikte schreeuw. Toch zijn we al een halfuur klaar en zitten we alleen nog maar op de deurbel te wachten.

Hanna loopt voor ons uit en doet open.

Het zijn tante Ingeborg, tante Ursula en tante Marie-Louise.

"Kijk eens aan, een kleine engel!" roept tante Ingeborg. Ze is altijd de woordvoerster en ze is ook de eerste die twee plakken chocolade uit haar handtas tevoorschijn haalt, een voor Hanna en een voor mij.

"Dankjewel," zeggen we.

Hanna maakt een revérence en ik een buiging. Daarna moeten we nog twee keer dankjewel zeggen omdat tante Ursula en tante Marie-Louise natuurlijk ook chocolade voor ons hebben meegebracht. Dat is het fijnste aan de hele reünie vind ik, elke dame brengt een plak chocolade mee.

Op de vorige reünie hebben we elf plakken gekregen. Maar dit jaar zullen het er maar tien zijn omdat tante Gisela een halfjaar geleden veel te vroeg door God bij zich werd geroepen.

Mama's dames kopen alleen maar de allerbeste chocolade met noten, praline, noga en marsepein. Op zulk soort chocolade moet je zuinig zijn, zegt onze moeder. Ik zou met mijn plakken waarschijnlijk een halfjaar toekomen, maar Hanna zou de hare al na drie dagen ophebben. Daarom sluit onze moeder de chocolade weg in de koelkast en geeft ons, als we ons goed gedragen hebben, op zondag een of twee repen.

De deurbel gaat weer. Deze keer zijn het tante Gretel, tante Annie, tante Rosemarie, tante Karin, tante Gertrud en tante Hannelore.

Tante Jessica komt als laatste, nadat de andere dames al aan de koffietafel plaatsgenomen hebben.

Hanna en ik maken de deur open. Tot mijn verrassing geeft ze ons allebei twee plakken chocolade.

"De tweede is van tante Gisela," zegt ze met een knipoog.

"Van tante Gisela?" Ik ril. "Maar zij is toch..."

"Ja, tante Gisela is nu in de hemel," bevestigt tante Jessica. "En geloof me, daarboven heeft ze het heel wat beter dan hier."

"Beter?" herhaal ik. Ik ben stomverbaasd dat tante Jessica

zo zorgeloos over tante Gisela praat. Onze moeder krijgt altijd een tragische blik in haar ogen en een doffe stem wanneer het om tante Gisela gaat. Het liefste wordt ze helemaal niet aan haar herinnerd, geloof ik.

"Iedereen heeft het beter in de hemel," zegt Hanna.

"Niet iedereen," spreekt tante Jessica tegen. "Maar voor tante Gisela was het leven op het einde toch alleen nog maar lijden."

"Wat had ze dan?" vraag ik. Onze moeder heeft ons nooit willen vertellen waaraan tante Gisela gestorven is.

"Ze had kanker," antwoordt tante Jessica. "Borstkanker."

Op dat moment verschijnt onze moeder. Ze wordt helemaal bleek en zegt: "Jessica! Zulke verschrikkelijke zaken zijn werkelijk niets voor kinderen!"

"Maar Wolfgang heeft me gevraagd wat Gisela had."

"Toch. Voor dat soort zaken is hij nog te jong."

"Te jong? Ik vind dat wie kan vragen, oud genoeg is om een eerlijk antwoord te krijgen."

"Ja, Wolfgang misschien," zegt onze moeder. "Maar Hanna niet."

"Ik weet wat borstkanker is," neemt Hanna het woord. "De zuster van mevrouw Beckmann had ook borstkanker. Ze moest vijf keer geopereerd worden."

Onze moeder zet een nogal verbijsterd gezicht. Maar meteen daarna glimlacht ze weer en zegt met haar reünie-stem: "Kom Jessica, dan gaan we naar de anderen. We hebben elkaar zoveel te vertellen."

Ze geeft tante Jessica een arm. Allebei verdwijnen ze in de woonkamer waar ze met een luid 'hallo' onthaald worden.

In alle opwinding over tante Gisela is onze moeder zowaar vergeten onze chocolade af te pakken. Nauwelijks is ze weg of Hanna breekt een stuk van haar pepermuntchocolade af en stopt die in haar mond. "Hmm, lekker," zegt ze.

"Nu krijg je ongetwijfeld weer ruzie met mama," waarschuw ik haar.

"Hoezo?" doet ze onschuldig. "Mama heeft de chocolade niet afgepakt. Dus mogen we ervan eten." Ze wijst op mijn plakken. "Probeer ook een stukje."

Ik schud mijn hoofd.

"En waarom niet?" Hanna stopt nog een stuk in haar mond.

"Omdat we straks cake en koekjes krijgen."

"Chocolade smaakt beter."

"Hanna? Wolfgang?" komt de stem van onze moeder. "We wachten op jullie."

"Ja, we wachten op jullie. Waar blijven jullie toch?" roepen de dames.

"We komen eraan," antwoord ik haastig en ik loop voorop. Wanneer ik me naar Hanna omkeer, zie ik dat ze de aangebroken plak chocolade in de onderste lade van het haltafeltje verstopt.

Net als bij iedere reünie heeft onze moeder de salontafel

uitgetrokken. Maar zelfs dan kan ze haar dames enkel met dringen en duwen een plaatsje geven. Tante Gretel, tante Annie, tante Rosemarie en tante Gertrud delen de bank, die eigenlijk voor drie is bedoeld. Tante Ingeborg en tante Hannelore hebben de beste plaatsen, in de twee fauteuils. Tante Ursula, tante Karin, tante Marie-Louise, tante Jessica en onze moeder zitten op stoelen. Hanna en ik kunnen alleen nog staan.

Maar dat doen we graag, omdat we dan ook sneller weer kunnen verdwijnen.

Dat we het liefste zo snel mogelijk weer weg willen, komt door de vragen die de dames ons stellen. Ik weet meestal niet wat ik moet antwoorden omdat onze moeder zo kritisch meeluistert en elk woord op een weegschaaltje legt. En ik wil in geen geval iets verkeerds zeggen. Jammer genoeg weet je bij onze moeder nooit van tevoren welk antwoord juist of verkeerd is.

Zoals nu, wanneer tante Gretel vraagt: "En jullie vader ligt weer in het ziekenhuis? Vinden jullie dat niet triest?"

Ik denk na. Onze moeder zegt altijd: als je triest bent, gaat dat niemand wat aan.

Daarom antwoord ik nogal vaag: "Papa komt waarschijnlijk dinsdag naar huis."

"En tot die tijd kun je van de rust genieten," merkt tante Ingeborg op.

Ik denk dat dat als grap bedoeld is, maar zeker ben ik er niet van. Dus knik ik maar. Onze moeder werpt me een verwijtende blik toe. Ze zal me later zeker verwijten dat ik haar door mijn ontoeschietelijkheid en gereserveerdheid in verlegenheid heb gebracht.

"Hebben jullie je vader al bezocht?" vraagt tante Jessica.

"Nee, nog niet," antwoordt onze moeder. Met een verontschuldigende glimlach voegt ze eraan toe: "Een reünie bereidt zich tenslotte niet vanzelf voor, dat begrijp je."

"Hij krijgt in het ziekenhuis ook de beste verzorging," is tante Karin van mening en tante Ursula zegt: "Intussen is hij daar beter thuis dan hier, zou ik denken."

"Zo vaak ligt hij nu ook weer niet in het ziekenhuis," antwoordt onze moeder.

"Morgen gaan we op bezoek," laat Hanna weten.

"Je ziet je papa graag, niet?" vraagt tante Ingeborg.

"Ja," zegt Hanna.

"Het zijn altijd de dochters die het meeste van hun vader houden," verkondigt tante Karin.

"Dan kunnen jullie een paar flinke stukken taart meenemen voor je papa," zegt tante Gertrud. "Als astmapatiënt mag hij toch eten wat hij wil, of niet?" keert ze zich tot onze moeder.

"Ja," bevestigt ze.

"Wees blij," zegt tante Gretel. "Voor mijn Alfred moet ik altijd extra koken. Hij verdraagt alleen maar dieetvoeding."

"Wat heeft Alfred dan?" vraagt tante Rosemarie.

"Maagzweren," antwoordt tante Gretel.

"Bij mijn Karel hebben ze zopas een gezwel in zijn dikke

darm gevonden," zegt tante Gertrud.

"Goedaardig, mag ik hopen?" vraagt tante Ingeborg.

"Jammer genoeg niet."

Even valt een stilte.

Ik maak van de gelegenheid gebruik om te vragen: "Mogen we nu gaan?"

"Nee." Tante Jessica lacht. "Eerst willen we dat je ons alles over school vertelt, Wolfgang."

"Ja, dat is zo," bevestigt tante Ursula. "Waar ben je het beste in?"

"Taal, geloof ik."

"Geloof je dat alleen maar?"

"Wolfgang is altijd te bescheiden," verklaart onze moeder.

"Dat is toch helemaal niet nodig," vindt tante Rosemarie.

"Nee, dat is echt niet nodig," stemt onze moeder in.

"Blijkbaar aardt hij helemaal naar zijn vader," zegt tante Ingeborg. "Heinz lijkt ook altijd zo wereldvreemd, alsof hij in hogere regionen vertoeft."

"Wereldvreemd zou ik Wolfgang niet willen noemen," spreekt onze moeder tegen. "Integendeel. Zijn onderwijzer zegt dat uit zijn opstellen een innerlijke rijpheid blijkt die je bij een jongen van zijn leeftijd niet zou verwachten."

"Alleen maar een innerlijke rijpheid?" Tante Karin giechelt. "Ik vind hem in zijn geheel al heel goed ontwikkeld."

"Is Wolfgang volgende week niet jarig?" valt tante Ursula in.

Ik knik. "Op zondag."

"Oh, dan weten we al wat zijn mooiste cadeau zal zijn!" roept tante Rosemarie.

"Wat dan wel?" vraagt tante Ursula. Blijkbaar weet zij net zomin als ik waar tante Rosemarie heen wil.

"Dat zijn vader thuiskomt uit het ziekenhuis," legt tante Rosemarie uit.

"Ach, bedoel je dat," zegt tante Ursula.

"Of zou Heinz toch nog langer in het ziekenhuis moeten blijven?" richt tante Rosemarie zich tot onze moeder.

"Nee, nee, in geen geval," antwoordt onze moeder snel.

"Hoe oud word je nu?" vraagt tante Annie.

"Dertien," antwoord ik.

"Dertien?" Tante Annie verdraait haar ogen en zingt: "Dertien jaar, blond van haar, zo kwam hij voor mij staan."

Verschillende dames lachen. Ik merk dat ik bloos.

"En wat doet Hanna, onze kleine engel?" vraagt tante Jessica.

"Ik maak naamkaarten," antwoordt Hanna.

"Heb jij die gemaakt?" zegt tante Marie-Louise verrast terwijl ze haar naamkaart met een gulden klimopblad in de lucht steekt. Deze duur uitziende kaarten is onze moeder vanochtend nog gaan kopen.

Hanna schudt haar hoofd. "Nee. Ik heb ze zelf voor jullie getekend, met mijn kleurstiften."

"Heb je naamkaarten voor ons getekend?" zegt tante Ingeborg. "Wat een verrukkelijk idee!"

Hanna glimlacht gevleid.

"En waarom staan jouw kaarten niet op tafel?" wil tante Rosemarie weten.

"Wolfgang had liever de kaarten uit de papierwinkel."

"Foei, ongevoelig vind ik dat!" Tante Karin kijkt me verwijtend aan.

"Mama heeft me naar de papierwinkel gestuurd," verdedig ik me. "En daarna heeft ze zelf ook nog kaarten gekocht."

"Ik begrijp werkelijk niet waarom die onnozele naamkaarten al die aandacht waard zijn," zegt onze moeder geërgerd.

"Onnozel zou ik niet zeggen," antwoordt tante Jessica. "Als Hanna de moeite gedaan heeft om naamkaarten voor ons te tekenen, horen die ook op tafel te staan."

Verschillende dames zijn het met haar eens.

"Waarom ga je je naamkaarten niet halen?" snauwt onze moeder Hanna toe.

"Er zijn er maar zes af," antwoordt Hanna.

"Maar zes?"

"Toen Wolfgang met zijn gekochte kaarten kwam, wilde ik niet meer verder tekenen."

"Dan teken je de rest nu toch," stelt tante Jessica voor.

Hanna werpt een blik op onze moeder. "Mogen ze dan

ook echt op de tafel staan?"

"Dat spreekt toch vanzelf."

"Natuurlijk," roepen de dames.

Tante Hannelore neemt haar naamkaart met het gulden klimopblad en stopt hem in haar handtas.

"Zie je wel?" zegt ze tegen Hanna. "Nu heb ik geen naamkaart meer. Nu moet je er een voor me knutselen."

"De jouwe is al af." Hanna lacht ondeugend.

"En mijn kaart dan?" vraagt tante Ingeborg.

"Die... die is nog niet af."

"En de mijne?" vraagt tante Jessica. "Ik ga hier niet weg zonder een originele Hanna-naamkaart."

"De jouwe?" Hanna kijkt naar het plafond alsof ze diep moet nadenken. "... is af," zegt ze.

Nu willen ook de andere dames weten of hun naam-kaarten af zijn.

Onze moeder lijkt het niet leuk te vinden dat alles nu om Hanna draait, want ze zegt behoorlijk bars: "Waarom ga je nu niet eindelijk die ontbrekende kaarten maken?"

"Maar Liesel toch," zegt Jessica. "Een kunstenaarsziel mag je niet dwingen."

"Kunstenaarsziel?" herhaalt onze moeder. "Besef wat je zegt! Straks schildert ze de duivel op de muur!"

"Liever niet, maar wel op papier!" roept tante Ingeborg. "Ik wil een duivel op mijn naamkaart, met veel zwart haar, grote horens en een lange, dikke staart."

De dames barsten in schaterlachen uit. Tante Gertrud

hoest achter haar servet.

"Mag ik naar buiten?" vraag ik aan onze moeder. Haar gezicht is rood van het lachen.

"Ja. Maar om vijf uur ben je terug!" zegt ze.

Ik beloof het.

Wanneer ik even voor vijf terugkom, zijn het koffieservies, het gebak en de naamkaarten met het klimopblad verdwenen. In plaats daarvan staan, tussen de flessen en de glazen, de kaarten op tafel die Hanna heeft getekend. Blijkbaar is, wat onze moeder het 'gemoedelijke' deel van de reünie noemt, begonnen.

"Op je gezondheid, Wolfgang!" roept tante Karin terwijl ze haar glas heft.

"Ja, op je gezondheid!" Nu heffen ook de anderen hun glas.

De fles met de dure cognac, die je alleen met kleine teugjes mag drinken, is al bijna leeg. En ook van de advocaat is niet veel meer over.

"Op Wolfgang, de kleine man des huizes!" roept tante Hannelore.

"Ook een kleine man kan een grote..." begint tante Annie. En slaat dan haar hand voor haar mond.

"Een grote wat?" roept tante Gretel.

"... een grote schaduw werpen," besluit tante Annie. Ze lachen allemaal.

"Een man die wil kan meer dan tien die moeten," verkondigt tante Marie-Louise.

Ze pakt de advocaat en schenkt haar glas halfvol. Terwijl onze moeder zegt dat men onder verfijnde mensen slechts zoveel inschenkt dat de bodem net bedekt is.

"Nou, wat denk je ervan, Wolfgang?" Ze geeft me een knipoog. "Je wilt toch wel eens proberen?"

"Nee!" antwoordt onze moeder.

"Vroeger kregen wij altijd advocaat wanneer onze ouders gasten hadden," zegt tante Marie-Louise.

"Ah! Vandaar..." giechelt tante Ingeborg.

"Wat bedoel je daarmee?" doet tante Marie-Louise verontwaardigd.

"Daarmee wil ik zeggen: proost!" Tante Ingeborg schenkt de rest van de cognacfles in haar glas.

Onze moeder staat op. "Hoe komt het dat je al terug bent?" vraagt ze me.

"Omdat je gezegd hebt dat ik om vijf uur hier terug moest zijn."

"Zo stipt had je nu ook weer niet hoeven te komen. Waarom ga je niet nog wat naar buiten?"

"Maar straks wordt het donker."

"Onzin. Het wordt nog lang niet donker. Bovendien is Hanna ook buiten."

"Is Hanna buiten?"

"Ja, we wilden tenslotte ook wat tijd voor onszelf, mijn dames en ik."

Waarschijnlijk is Hanna op het waspleintje aan het verhalenballen, denk ik.

Plotseling voel ik me schuldig dat ik de hele tijd bij Manfred heb gezeten.

"Dan ga ik haar nu zoeken," zeg ik.

"Wie ga je zoeken?" vraagt tante Ingeborg.

"Wie niet verzocht wordt, wordt gemakkelijk zalig," roept tante Annie.

De dames gillen het uit. Onze moeder moet haar lach onderdrukken. "Om zes uur ben je terug," zegt ze tegen mij. "Om halfzeven eten we."

Ik knik.

Wanneer ik de deur van ons appartement opendoe, hoor ik tante Annie roepen: "Een open deur brengt zelfs de heiligsten in verzoeking!"

Snel trek ik de deur achter me dicht.

Ik vind Hanna inderdaad op het pleintje. Maar ze verhalenbalt niet. Ze zit op de bank met een stok lijnen in het zand te trekken. Wanneer ik dichterbij kom, zie ik dat ze een engel tekent.

Wanneer Hanna mijn voetstappen hoort, kijkt ze op. "Waar zat jij?"

"Bij Manfred," antwoord ik.

"En waarom heb je me niet meegenomen?"

"Je moest toch naamkaarten tekenen?"

"Ja, jammer genoeg!"

"Vonden de dames je naamkaarten niet leuk?"

"De dames wel, vooral tante Jessica. Maar mama zei dat ik niet goed mijn best had gedaan. Terwijl ik juist wel mijn best heb gedaan, want het is heel moeilijk om geiten en cactussen te tekenen."

"Geiten en cactussen?" herhaal ik. "Misschien had je iets anders moeten tekenen, bloemen of schattige beesten."

"Is een geit dan niet schattig?"

"Jawel."

"En cactussen kunnen ook mooie bloemen krijgen."

"Ja, maar ze zijn nogal stekelig," breng ik haar in herinnering.

"Net als tante Marie-Louises snor," zegt Hanna. "Poeh! En daarmee heeft ze me een kus gegeven."

Ik moet lachen. Tante Marie-Louise heeft ook echt een snor.

"Heb je op haar naamkaart een cactus gezet?" vraag ik.

Hanna schudt haar hoofd. "Tante Marie-Louise heeft een stekelvarken gekregen."

"Als je stekelvarkens en geiten tekent, kun je niet verwachten dat iedereen je toe zal juichen," merk ik op.

"Tante Jessica vindt mijn kaarten verfrissend," antwoordt Hanna. "Maar de andere dames hebben geen muhor, heeft ze gezegd."

"Humor, bedoel je," verbeter ik haar.

"En mama heeft nog het minste muhor van allemaal!" gaat Hanna nijdig door.

"Ze zei: 'Als de reünie voorbij is, spreken we hier nog

over.' Maar ik weet heel zeker dat ze helemaal niet tegen me zal spreken."

Ik knik. Mama kan soms dagenlang blijven zwijgen. Afgelopen zomer bijvoorbeeld, toen Hanna alleen thuis was, heeft ze met waterverf op de salontafel geschilderd zonder eerst het mooie tafelkleed eraf te halen. Het vuile verfwater was omgevallen en het tafelkleed was bedorven.

Uit schrik verstopte Hanna het in de afvalbak. Maar onze moeder kwam natuurlijk alles te weten en toen heeft ze een week lang niet met Hanna gepraat, ook al had Hanna zich verontschuldigd.

"Misschien duurt je straf deze keer maar kort," zeg ik. "Eigenlijk wilde je mama toch alleen maar een plezier doen met je naamkaarten."

"Sommigen hadden er ook plezier in, zoals tante Jessica." Hanna bijt op haar lippen. "Weet je wat ik aan Onze Lieve Heer zal vragen?"

"Nee, wat?"

"Waarom ik uitgerekend bij mama terechtgekomen ben!"

"Dat mag je niet vragen," antwoord ik geschrokken.

"En waarom niet?"

"Omdat... Omdat hij daar zeker zijn redenen voor heeft gehad."

Hanna schudt haar hoofd. "Bij mij heeft Onze Lieve Heer zich van adres vergist! Mij wilde hij naar heel andere ouders brengen!"

"God kan zich niet van adres vergissen," werp ik tegen.

"En waarom niet?"

"Omdat hij God is."

"Iedereen kan zich vergissen."

"Maar God niet!"

"Denk je dat hij me opzettelijk bij mama heeft afgezet, ook al wilde zij mij helemaal niet?"

"Mama wilde je wel," antwoord ik.

"Waarom zegt ze dan dat ik een koekoeksei ben dat het kwade noodlot in het nest heeft gelegd?"

"Dat zegt ze alleen maar omdat ze woedend is."

Hanna kijkt me donker aan. "Je verdedigt haar altijd!"

"Nee, dat doe ik niet."

"Jawel. Jij staat altijd aan mama's kant."

"Nietes."

Er valt een stilte.

Ik schraap mijn keel en zeg: "Ik kan me wel indenken waarom God je hier heeft afgezet."

"Ja?"

"Ja. Op school praten we nu heel veel over engelen." Een ogenblik lang ben ik in de verleiding om haar te vertellen dat we een opstel over engelen moeten schrijven en dat ik besloten heb om over haar te schrijven. Maar iets houdt me tegen. Daarom vraag ik alleen maar: "Heb je ooit van de drie orden gehoord, die er in de hemel zijn?"

"Ik weet het niet."

"Eerst is er de eerste orde met cherubijnen en serafijnen die het dichtste bij God zijn. In de tweede orde vind je de vorstendommen en de heerschappijen die het heelal besturen. De aartsengelen en de beschermengelen uit de derde orde zijn de vechters tegen de duisternis."

Hanna zegt niets, maar luistert aandachtig.

"Ten slotte is er nog de vierde orde," ga ik voort. "En daar hoor jij bij."

"Ik?"

"Ja. In de vierde orde horen de allerkleinste engelen thuis. Die gaan naar de gezinnen die ze het meest nodig hebben."

"En wat doen die engelen in die gezinnen?"

"Hen leren hoe ze van anderen kunnen houden."

"Hoe ze van anderen kunnen houden?" herhaalt Hanna.

Ze tilt haar stok op en tekent de vleugels van de engel na. "En waarom moeten uitgerekend engelen dat aan andere mensen leren?" vraagt ze.

"Omdat ze veel meer van Gods liefde krijgen dan de mensen," antwoord ik. "Meneer Findling heeft gezegd dat God uit pure liefde bestaat, net zoals een diamant uit zuivere koolstof bestaat. En hoe dichter je bij hem komt, hoe meer liefde je van hem krijgt. De engelen staan natuurlijk veel dichter bij God dan de mensen."

"Heeft meneer Findling dat gezegd?"

"Ja. Jij staat bijvoorbeeld veel dichter bij God dan mama

of papa of ik."

"Denk je?"

"Ja!"

Hanna denkt na. "Mama staat dan zeker het verste," zegt ze daarop.

"Het verste?" mompel ik ongemakkelijk. "Ik weet niet of je dat zo kunt zeggen."

"Jawel! Ze heeft Petrea van me afgepakt. En dat ze me zo vaak opsluit, dat vindt Onze Lieve Heer ook niet goed."

Ik sleep met de punt van mijn schoen door het stof. Wat kan ik daarop antwoorden?

"Papa staat behoorlijk ver van Onze Lieve Heer af," zegt Hanna. "Maar niet zo ver. Omdat hij wel van iemand houdt, van mama."

"Ja, en van ons houdt papa ook," ga ik voort. "En mama houdt ook van ons, op haar manier."

"Dat is dan een heel rare manier," vindt Hanna. "Een waar je niets van merkt."

"We moeten allemaal leren hoe je echt van anderen kunt houden," antwoord ik.

"Denk je dat mama dat kan leren?"

"Ja! Daarom worden de heel kleine engeltjes toch naar de gezinnen gestuurd!"

"Maar de heel kleine engeltjes hebben ook liefde nodig," antwoordt Hanna. "En niet alleen van Onze Lieve Heer."

Ze moet niezen. Plotseling merk ik dat ze veel te dunne kleren aanheeft.

"We moeten gaan," zeg ik. "Het is zeker bijna etenstijd."

Ik heb geen horloge en van het pleintje af kan ik de klok op de kerktoren niet zien. Bovendien wordt het langzaam donker.

Hanna staat op. "En wat gebeurt er wanneer de kleine engeltjes hun opdracht uitgevoerd hebben?" vraagt ze. "Vliegen ze dan naar de hemel terug?"

"Daarover heb ik nog helemaal niet nagedacht," antwoord ik eerlijk.

"Maar ze vliegen toch zeker naar de hemel terug wanneer ze hun opdracht niet kunnen uitvoeren?"

"Hoe bedoel je?" vraag ik.

"Er zijn toch ook hopeloze gevallen," zegt Hanna. "Gezinnen waar zelfs de kleine engelen niets meer kunnen veranderen."

Ineens krijg ik een brok in mijn keel. "Maar wij zijn niet zo'n gezin!"

"Weten jullie wel hoe laat het is?" Met deze woorden begroet onze moeder ons bij de deur. Uit de woonkamer komt gelach en het gerinkel van vaatwerk. De lucht hangt vol sigarettenrook.

"Nee," antwoord ik.

"Even voor zeven! En wanneer moest je terug zijn?"

"Om zes uur."

"Inderdaad! Nu heb ik het eten helemaal alleen moeten klaarmaken."

"Maar wij hebben je toch geholpen!" roept tante Jessica.

"Dat was jullie taak niet," antwoordt onze moeder. "Jullie zijn tenslotte mijn gasten."

Tegen ons zegt ze: "En jullie gaan voor straf naar bed."

"Wees toch niet zo streng," pleit tante Jessica.

"Toch wel. Straf is nodig," antwoordt tante Gretel.

"Ja. Straf is nodig!" roepen verscheidene dames.

We wassen ons vluchtig en daarna duwt onze moeder ons langs de gedekte tafel naar de slaapkamer. Wanneer ik de schalen met belegde broodjes en de schotels met Weense worstjes en aardappelsalade zie, merk ik ineens hoeveel honger ik heb.

"Krijgen ze dan helemaal niets meer te eten?" vraagt tante Hannelore.

"Nee, vandaag niet meer," zegt onze moeder. "Ze hebben trouwens hun tanden al gepoetst."

"Als het om kinderen gaat, moet je soms van je hart een steen maken!" laat tante Gretel weten. En ze pakt een Weens worstje, dipt het in de mosterdpot en bijt erin zodat het sap eruitspat. "Hmm, heerlijk knapperig," zegt ze in vervoering.

Hanna en ik kijken met grote ogen toe. Wij mogen niet met onze handen eten en met een volle mond praten mogen we ook niet.

"Nou dan?" snauwt onze moeder. "Willen jullie geen goedenacht zeggen dan?"

In koor zeggen we: "Goedenacht! En hartelijk bedankt voor de chocolade!"

Daarna verdwijnen we in de slaapkamer.

"Bedankt voor de naamkaarten, Hanna!" roept tante Jessica ons na.

"Wat heb je eigenlijk op mama's naamkaart getekend?" vraag ik wanneer we in bed liggen.

"Een hart," antwoordt Hanna.

"Daar moet mama toch heel blij mee zijn geweest."

"Ik heb een blauw hart getekend."

"Een blauw hart? Hoezo?"

"Omdat het een bevroren hart is."

"Heb je dat ook tegen mama gezegd?"

"Nee. Mama heeft niet eens gevraagd waarom het blauw is. Ze heeft gezegd: 'Dat is net als bij Piek-As'."

"Piek-As?" vraag ik verbaasd.

"Piek-As, de schilder."

"Aha! Picasso!" zeg ik. "Hij is rijk en beroemd geworden. Eigenlijk is het een groot compliment dat ze je met hem vergeleek."

"Mama heeft een hekel aan Piek-As," antwoordt Hanna. "En tante Gretel zei dat mama met mij naar de oogarts moet omdat ik waarschijnlijk kleurenblind ben."

"Kleurenblind? Jij?"

"Ja. Maar mama zei dat mijn ogen heel normaal waren. Jammer genoeg was dat zo ongeveer het enige aan mij wat normaal was."

"Heeft ze dat gezegd?"

"Maar mij kon het niets schelen," beweert Hanna. "En tante Jessica zei dat ze vindt dat de wereld veel te kleurloos is en dat je iedereen die hem een beetje kleurt zoals zij en ik dankbaar moet zijn. Toen deden de dames heel verlegen. En weet je waarom?"

"Nee."

"Tante Jessica is toch zelf gekleurd!"

"Dat is waar."

"Maar de andere dames doen altijd alsof ze daar in hun goedheid geen aandacht aan willen besteden," zegt Hanna op de manier van onze moeder.

"Trouwens, de verschillen zitten alleen maar aan de buitenkant. Voor Onze Lieve Heer zijn we allemaal gelijk, of we nu een zwarte huid hebben of een witte. Want hij kijkt naar binnen, in het hart."

"In het blauwe hart?" probeer ik grappig te zijn.

"Ja. Met bevroren harten houdt hij zich heel speciaal bezig," antwoordt Hanna.

"Zie je nou wel!" zeg ik.

"Wat?"

"Als God zich speciaal met bevroren harten bezighoudt, kan hij zich in verband met jou niet van adres vergist hebben. Hij heeft je bij mama afgezet om haar hart weer te laten ontdooien."

Hanna geeft geen antwoord.

Ineens hoor ik haar huilen.

"Hanna?" vraag ik bezorgd.

"Laat me..." fluistert ze.

"Waarom huil je nou?"

"Omdat... omdat ik helemaal geen engel wíl zijn."

"Maar je bent een engel!"

"Mama zegt dat ik een satanskind ben."

"Dat zegt ze alleen omdat haar hart bevroren is. En omdat jij het nog niet ontdooid hebt," voeg ik eraan toe.

"En waarom kan papa het niet ontdooien?" zegt Hanna met trillende stem. "Of jij?"

"We hebben het geprobeerd. Maar het is niet gelukt. En toen heeft God jou gestuurd, zijn kleinste engel."

"Wat als ik helemaal geen engel ben? Als ik alleen maar Hanna ben?"

"Je bent het allebei: Hanna en een engel!"

"Maar ik heb niet eens vleugels!"

"Jawel," spreek ik tegen. "Jouw vleugels zijn onzichtbaar omdat ze uit hemelse veren zijn gemaakt."

"Uit hemelse veren?"

"Ja. Als de engelen naar de aarde komen, zijn hun vleugels onzichtbaar, zegt meneer Findling. Dat heeft God zo geregeld om de mensen niet te laten schrikken."

"Denk je dat engelen beter kunnen vliegen dan olifanten?" vraagt Hanna.

"Oh ja!" antwoord ik. "Engelen kunnen duizend keer beter vliegen. Olifanten vliegen alleen maar naar India en terug. Maar engelen vliegen heen en weer tussen de hemel en de aarde."

"Dan wil ik toch een engel zijn!" fluistert Hanna.

Ze zucht diep. "Noedegacht!"

"Goedenacht!" zeg ik. Deze keer verbeter ik haar niet.

Zaterdag 5 oktober

Blijkbaar was de reünie een reuzensucces want de volgende ochtend houdt de telefoon maar niet op met rinkelen. Het zijn mama's dames die haar willen bedanken. Ze komt er niet eens aan toe Hanna en mij een berisping te geven omdat we te laat thuisgekomen zijn.

In plaats daarvan nodigt ze ons uit om zo veel van de restjes te eten als we maar willen. Dat laat ik me natuurlijk geen twee keer zeggen. Als ontbijt eet ik kersentaart, worstjes met aardappelsalade en vanillepudding. 's Middags eet ik nog een stuk taart, twee broodjes met ham, vier gevulde eieren, twee pasteitjes en een groot stuk appelcake.

Ik kan eten als een wolf, net als mijn vader, zegt onze moeder. Zij moet vasten, omdat ze op de reünie te veel gegeten heeft.

Toch voel ik me wat duizelig achteraf. Hanna heeft 's middags maar een half stuk taart gegeten en zij voelt zich ook een beetje duizelig.

"Misschien was de slagroom slecht," zegt ze.

Ik schud waarschuwend mijn hoofd zodat ze geen ruzie gaat maken met onze moeder.

"Wat dan nog!" antwoordt onze moeder. "Papa zal er

ongetwijfeld nog plezier aan beleven. Hij is niet zo verwend als jij." Ze pakt de laatste drie stukken voor onze vader in, samen met een paar broodjes, twee worstjes en de rest van de aardappelsalade.

We nemen de bus naar het ziekenhuis. Er zijn twee ziekenhuizen in onze stad, het algemene en het Bethesda. Onze vader ligt deze keer in het Bethesda, in een kamer voor zes met alleen maar oude mannen. Maar met zijn bed heeft hij geluk gehad. Het staat aan het raam, dus kan hij naar buiten kijken.

"Kijk eens naar die mooie herfstkleuren!" zegt hij tegen onze moeder.

"Jaja," antwoordt zij en ze schudt zijn kussen op.

Hij begint te zingen: "Veelkleurig zijn de bossen, geel de stoppelvelden en de herfst begint."

"Stop daarmee! Hou op met die onzin!" Onze moeder werpt een blik op de andere bedden. "Je krijgt zo weer een aanval."

Onze vader hoest wat, maar hij krijgt geen aanval. Hij ziet er over het algemeen weer behoorlijk gezond uit, alleen nog wat bleek en onverzorgd.

"Had je je niet kunnen scheren?" houdt onze moeder hem voor. "Je wist toch dat we zouden komen."

"Ja," zegt hij bedremmeld.

"En je hebt je haar ook al niet gekamd!" Ze haalt haar kam uit haar tas en trekt die door zijn haar. "Wat doe jij de godganse dag?"

77

"Lezen," antwoordt hij. "En dichten!" voegt hij eraan toe.

"Kom, draag je laatste gedicht nog eens voor, Heinz!" vraagt de oude man in het volgende bed, die geen bezoek heeft.

"Dat is Willy," stelt onze vader hem voor.

Hij gaat altijd familiair om met zijn medepatiënten, zeer tot ongenoegen van onze moeder. Ze zegt dat hij altijd bij iedereen in het gevlij wil komen. Vooral de laagste klassen zouden hem onweerstaanbaar aantrekken.

De oude man reikt onze moeder zijn hand en zegt: "Willy Hansen. Fijn u te ontmoeten."

Ze geeft hem haar hand en zegt ook: "Fijn u te ontmoeten." Maar aangenaam getroffen klinkt het niet.

"Heinz' gedichten zijn beter dan die in de boeken," zegt meneer Hansen bewonderend.

Ik weet niet of hij werkelijk tot de laagste klassen van de maatschappij behoort. Maar ik vind het prettig dat hij zo vriendelijk over de gedichten spreekt.

"Zal ik je mijn laatste gedicht voordragen?" vraagt onze vader met een blik op onze moeder.

"Nee!" antwoordt ze bot.

"Maar ik heb het voor jou geschreven! Het heet: 'Liefdesgedachten in de herfst'."

"Dan kan het wachten tot je weer thuiskomt."

"Stel Heinz toch niet teleur," pleit meneer Hansen. "Luister dan tenminste naar de eerste strofe."

"Hoeveel strofen zijn er?"

"Negen," antwoordt onze vader trots.

"Goed dan. Eén."

Onze vader schraapt zijn keel en laat met feestelijke stem horen:

"Dag na dag groeit mijn gezondheid,
dag na dag groeit weer mijn kracht.
Mijn lichaam raakt de ziekte kwijt.
Ik word de oude, als je maar wacht."

Meneer Hansen applaudisseert. En zegt tegen onze moeder: "Heinz heeft de hoge kunst des dichten naar ons teruggebracht."

Onze moeder geeft geen antwoord. Ze haalt haar poederdoos uit haar handtas en begint haar neus te poederen.

"Wat heeft die oude meneer?" vraagt Hanna fluisterend aan onze vader.

"Hij heeft rokersbeen."

"Had!" verbetert meneer Hansen.

"Ja. Jammer genoeg moest het afgezet worden," legt onze vader uit.

"Hoe bedoel je... afgezet?" vraagt Hanna.

"Alsjeblieft, Heinz!" zegt onze moeder. "Dat is geen onderwerp voor kinderen!"

"Waarom niet? Het is goed dat kinderen al heel vroeg leren hoe gevaarlijk roken is," antwoordt meneer Hansen.

Hij duwt de dekens opzij en we zien dat zijn been boven de knie stopt en met dikke verbanden omzwachteld is.

Onze moeder geeft een gil.

"Als iemand me vijftig jaar geleden zijn rokersbeen had laten zien, was ik misschien nooit met roken begonnen," zegt meneer Hansen. "Maar nu mag ik al blij zijn dat ik mijn andere been nog heb."

"Ik moet even naar buiten." Onze moeder is lijkbleek geworden. "En jij gaat met me mee," zegt ze tegen Hanna.

"Maar ik wil niet," antwoordt Hanna.

"We gaan alleen maar even onze benen strekken."

"Ik wil graag hier blijven."

"In dat geval ga ik wel alleen." Onze moeder staat op.

"Wil je dat ik meekom?" biedt onze vader aan.

"Nee, dank je! Met jouw ongeschoren gezicht kun je beter blijven waar je bent: onder jouw gelijken."

"Maar in het ziekenhuis is bijna iedereen ongeschoren."

"Jammer genoeg wel. Dat is ook een van de redenen waarom ik hier niet graag kom." Onze moeder pakt haar handtas en rent de kamer uit.

Als ze weg is, zegt meneer Hansen: "Heinz, jouw vrouw heeft haar op haar tanden."

"Sst, Willy. De kinderen." Onze vader heeft ineens moeite met ademen. Hij haalt zijn inhalator uit het nachtkastje en begint te ademen.

"Wat betekent haar op de tanden?" vraagt Hanna aan meneer Hansen.

"Wat het betekent?" Vertwijfeld kijkt hij onze vader aan, maar die kan niets zeggen omdat hij aan het inhaleren is. "Het betekent dat iemand altijd - hum - ronduit zegt wat hem niet bevalt."

"Dan heeft onze moeder geen haar op haar tanden," merkt Hanna op. "Ze zegt nooit ronduit wat haar niet bevalt. Dan zegt ze helemaal niets meer."

Onze vader is opgehouden met inhaleren. "Zo is mama nu eenmaal..." antwoordt hij naar lucht snakkend. "En je moet de mensen... nemen zoals ze zijn."

"Mama neemt ons ook niet zoals we zijn!" legt ze uit.

"Ja, omdat jullie... nog kinderen zijn! En kinderen moeten... opgevoed worden!"

"Kinderen hoeven helemaal niet opgevoerd te worden," zegt Hanna koppig.

"Niet gevoerd, maar gevoed!" antwoordt meneer Hansen. "Voeren kun je zonder respect, voeden alleen met liefde."

"Ik wist niet dat jij... een filosoof was, Willy," zegt onze vader.

Meneer Hansen lacht zacht. "Als je binnenkort God zult zien, zoals ik, dan denk je meer over de wereld en de mensen na."

"Zul je gauw Onze Lieve Heer zien?" vraagt Hanna. "Waar dan wel?"

"In de hemel natuurlijk."

"Dan ben jij een engel?"

81

"Nee. In elk geval nog niet," antwoordt meneer Hansen. "Weet jij dan wat van engelen?"

"Hanna is zelf een engel," verraad ik.

"Ben jij een engel?"

"Ja," zegt Hanna ernstig.

"Maar ik zie geen vleugels."

"Als de engelen op aarde zijn, kun je hun vleugels niet zien, want die zijn uit hemelse veren gemaakt," legt Hanna uit.

"Dat heeft God zo geregeld zodat de engelen de mensen niet laten schrikken," vul ik aan.

"Meen je dat nou?" zegt meneer Hansen.

"Wie heeft jullie dat in godsnaam wijsgemaakt?" vraagt onze vader en hij gaat door met inhaleren.

"We hebben het er op school over gehad," antwoord ik.

"Als jij een engel bent, kun je me eigenlijk een plezier doen," zegt meneer Hansen tegen Hanna.

"Wat dan wel?"

"Je kunt in de hemel vragen of ze niet een paar vleugels over hebben. Weet je, het is verdomd moeilijk om met één been vooruit te komen."

"Dat doe ik," belooft Hanna. Ze wijst naar de krukken naast het bed van meneer Hansen. "Dan zul je ook geen krukken meer nodig hebben."

"Nee, als ik eenmaal vleugels heb, heb ik geen krukken meer nodig," geeft hij toe.

"Je mag Hanna... dat soort ideeën niet aanpraten, Willy,"

zegt onze vader.

"Wat voor ideeën?"

"Al die onzin over... engelen. Ik denk niet dat dat... goed is voor Hanna."

"Vind je het dan niet leuk om een engel in de familie te hebben?" vraagt meneer Hansen.

"Mama zegt dat ik een satanskind ben," gooit Hanna ertussen.

Meneer Hansen lacht spottend. "Hoor je wel? Dat wordt nou bedoeld wanneer ze zeggen dat iemand haar op zijn tanden heeft."

Op dat moment gaat de deur open. Het is onze moeder. Meneer Hansen grijpt naar zijn krukken en hobbelt naar de deur. Wanneer hij onze moeder voorbijhopt, kijkt zij demonstratief de andere kant op.

Ze gaat zitten. "Gelukkig zijn we weer onder elkaar... Sommige mensen zijn werkelijk een beproeving."

"Waar wil meneer Hansen heen?" vraagt Hanna.

Onze vader inhaleert. "Naar... de rookkamer."

"Wat?" roep ik uit. "Rookt hij nog steeds?"

"Ja. Voor hem is het te laat om te stoppen, zegt hij."

"Het is nooit te laat om te stoppen," spreekt onze moeder tegen. "Maar hij heeft waarschijnlijk ingezien dat hij geen groot verlies is."

"Dat... mag je niet... zeggen!" brengt onze vader daartegen in.

"Ja? Waarom dan niet?"

"Je mag niemand iets... slechts toewensen. Omdat dat... op jezelf terugslaat."

"Als dat waar is, wens jij anderen voortdurend slechts toe als ik zie hoe vaak jij ziek bent," merkt onze moeder op.

Onze vader haalt een paar keer kuchend adem en inhaleert.

Ze staat op. "Nu moeten we gaan," zegt ze tegen ons. "Papa heeft rust nodig."

"Maar..." Hij inhaleert. "Het bezoekuur is nog niet... voorbij."

Toch gaan we. Onze vader kijkt ons treurig na, ook al staan al de lekkere restjes van de reünie op zijn nachtkastje te wachten om te worden opgegeten.

In de gang zien we meneer Hansen, maar onze moeder verbiedt ons om naar hem toe te lopen om afscheid te nemen.

"Het is al erg genoeg dat papa zich tot zulk uitschot aangetrokken voelt," zegt ze.

"Zijn uitschot mensen die vleugels zouden willen hebben?" wil Hanna weten.

"De meeste mensen zouden wel vleugels willen hebben," antwoordt onze moeder. "Maar uitschot zijn ze daarom nog lang niet."

"Zou jij ook vleugels willen hebben?" vraagt Hanna.

"Ik zou in elk geval vaker willen wegvliegen dan je je kunt voorstellen!" zegt onze moeder.

Later, wanneer we in bed liggen, vraagt Hanna: "Had jij gedacht dat mama vleugels wil hebben?"

"Nou ja." Ik schraap mijn keel. "Mama is ook niet zo gelukkig met haar leven."

"Maar mama zou gelukkig kunnen zijn," antwoordt Hanna. "Ze mag doen wat ze wil. Ze wordt nooit opgesloten. En niemand zal ooit haar pop afpakken en in de vuilnisbak gooien. Alle volwassenen zouden gelukkig kunnen zijn!" voegt ze eraan toe.

"Zo eenvoudig is het jammer genoeg niet," antwoord ik. "Papa heeft een baas. En mama moet met papa overweg kunnen en met ons en met ons kleine appartement en met de buren en met meneer Locher."

Meneer Locher is onze huisbaas.

"Maar mama heeft papa en het appartement zelf gekozen!" zegt Hanna.

"Jawel," geef ik haar gelijk. "De teleurstelling komt meestal pas later. Voor haar huwelijk wist mama bijvoorbeeld niet dat papa astma heeft. En ze moesten het appartement nemen dat ze konden betalen. En zo gaat het met alles. Overal stoot je op grenzen en nooit ben je echt vrij."

"Ook niet als je groot bent?"

"Nee."

Hanna denkt na. "Maar engelen stoten niet op grenzen," zegt ze daarna. "Engelen zijn echt vrij."

"Ja, engelen zijn echt vrij," herhaal ik.

Ze zucht opgelucht. "Goed dat ik een engel ben. Want ik

stoot me niet zo graag."

Na een ogenblik stilte vraagt ze: "Waar zou mama heen willen vliegen, denk je?"

"Ik weet het niet..."

"Denk je dat ze ons zou meenemen?"

"Natuurlijk!" antwoord ik, ook al ben ik daar helemaal niet zeker van.

"Ik denk dat mama helemaal alleen weg zou vliegen," zegt Hanna. "Want ze houdt van geen van ons."

"Jawel. Ze houdt wel van ons!" spreek ik tegen. "Ze houdt van ons op haar manier."

"Zoals Siberië?"

Ik hoest verlegen. "In elk geval... op haar manier."

"Maar houden van kun je alleen maar warm," zegt Hanna. "Zoals Spanje of Italië."

"In Siberië zijn de zomers ook warm," antwoord ik. Niet erg origineel, maar iets beters schoot me niet te binnen.

"Denk je dat het in de hemel altijd warm is?"

"Oh ja! In de hemel is het altijd lente, zegt meneer Findling."

"Ik vind het fijn als het warm is," zegt Hanna. "Zo warm als onder mijn dekbed."

Kort daarop verraadt haar gelijkmatige ademhaling dat ze in slaap gevallen is.

Dinsdag 8 oktober

's Ochtends wordt onze vader uit het ziekenhuis ontslagen. Hij kan weer goed doorademen, maar toch moet hij van de dokter de rest van de week thuisblijven.

Ik vind het altijd heerlijk wanneer een vader 's middags op zijn kinderen wacht. Onze vader zit jammer genoeg alweer in de kelder wanneer ik uit school thuiskom.

Maar onze moeder zegt dat hij niet buiten mag rondlopen zolang hij niet mag gaan werken. Iemand zou hem kunnen zien en hij zou zijn baan kunnen verliezen. En als hij in de kelder zit stoort hij ook niet bij de voorbereidingen voor mijn verjaardagsfeest op zondag. Al valt er niet veel voor te bereiden. Ik heb alleen maar Manfred en Hartmut uitgenodigd. En dan nog alleen voor chocolademelk met taart en een uitstapje naar de watertoren.

Hanna wil 's zondags absoluut naast Manfred zitten. Maar dat mag ik hem niet vertellen.

Ik had het hem toch niet gezegd. Hij vindt kleine meisjes vervelend.

Ik ben aan de keukentafel mijn huiswerk aan het maken wanneer de bel rinkelt. Onze moeder doet de deur open. Het is Hanna, die buiten voor het huis gespeeld heeft. Ik hoor haar luid snikken.

"Kan een mens dan nooit eens vijf minuten met rust gelaten worden?" kreunt onze moeder.

"Maar Olaf heeft een steen tegen mijn hoofd gegooid!" antwoordt Hanna. "En nu bloed ik."

"Bloed je?" zegt onze moeder haar na. Ze haat het wanneer we gewond naar huis komen, waarschijnlijk omdat onze vader zo vaak ziek is.

"Ja! Boven op mijn hoofd."

Ik gluur om de hoek, maar ik zie alleen onze vader op de bank. Hij is pas terug uit de kelder.

"Het bloedt helemaal niet meer," verklaart onze moeder. "Je hoeft niet zo'n kabaal te maken."

"Maar het doet pijn," klaagt Hanna.

"Was dat Olaf Schäfer?" vraagt onze vader.

"Ja," bevestigt Hanna.

De Schäfers wonen in hetzelfde huis. Ze zijn niet erg geliefd. Ze verbeelden zich beter te zijn omdat meneer

Schäfer eindexamen heeft gedaan, zegt onze moeder.

Terwijl onze vader ook bijna eindexamen heeft gedaan.

"Die boer, die kleine smeerlap!" sakkert onze vader.

"Heinz!" wijst onze moeder hem terecht.

"Wacht maar, die rouwdouw zal ik wel even op zijn nummer zetten!" schreeuwt hij. "Ik geef hem er zo van langs dat hij niet meer weet waar hij het heeft van de pijn!"

Onze vader windt zich altijd zo gauw op. De bedreigingen die hij dan uit, laten je bloed in je aderen stollen. Maar ze uitvoeren doet hij nooit. Dat weet onze moeder ook.

"Jij?" Ze lacht spottend. "Wanneer je voor hun deur staat kun je geen geluid meer uitbrengen. Omdat je dan weer een van je astma-aanvallen krijgt."

"Dat gebeurt... niet." Onze vader hoest.

"Bovendien ben ik er vast van overtuigd dat Hanna begonnen is," verklaart onze moeder.

"Nee! Niet waar!" schreeuwt Hanna.

"Waarschijnlijk lette Olaf niet op haar en heeft ze geprobeerd om met brutaliteiten zijn aandacht te trekken."

"Nee!" werpt Hanna tegen.

"Wel waar," antwoordt onze moeder. "En omdat je nu ook nog liegt, moet je voor straf de badkamer in."

Er valt een stilte.

"Ik begrijp niet waarom je niet wilt dat ik die mensen een keer ronduit zeg wat ik denk," merkt onze vader daarop op.

"Omdat ik door jou al genoeg moeilijkheden heb hier

in huis," antwoordt onze moeder.

"Wat voor moeilijkheden?"

"Geroddel, gepraat..."

"Waarover dan?"

"Waarover?" Ze lacht hard. "Vind jij het normaal dat de ambulance voortdurend voor onze deur staat?"

"Nee," zegt onze vader en hij haalt een paar keer kuchend adem.

"Bovendien mag je nog niet werken. En ik wil niet dat iemand je bij meneer Schellack aan kan geven."

Meneer Schellack is de eigenaar van de brillenwinkel waar onze vader werkt.

Even later loopt onze vader het appartement uit, maar alleen om weer naar de kelder te gaan.

Hanna gaat met haar tekenblok bij me aan tafel zitten. Eigenlijk maak ik mijn huiswerk liever alleen. Maar deze keer zeg ik niets omdat ik medelijden met Hanna heb.

Ze heeft een grote snee in haar hoofd. Ik begrijp niet hoe onze moeder kan zeggen dat ze overdrijft.

"Ik deed niets," fluistert ze me toe. "Het was allemaal Olafs schuld."

Ik knik. "Ja, ik weet het."

Donderdag 10 oktober

Aan het einde van de taalles, waarin we naar dia's met afbeeldingen van engelen gekeken hebben, schrijft meneer Findling op het bord:

Wie is God eigenlijk?

Verschillende jongens en meisjes giechelen. Suzanne roept: "Een oude opa met een lange baard."

Ik geloof dat dat meneer Findling ergert. In elk geval maakt hij een einde aan de discussie en zegt dat we er thuis schriftelijk over moeten nadenken.

"En geen flauwe grapjes alsjeblieft!" waarschuwt hij.

Op weg naar huis vraag ik Manfred of hij al weet wat hij zal schrijven.

"Nee," antwoordt hij. "Maar ik heb een geweldig boek uit de bibliotheek. Ik hoef het alleen maar over te schrijven."

"Meneer Findling wil onze eigen gedachten over God horen," antwoord ik.

"Wat als ik er gewoon geen heb?"

"Denk je nooit na over God?"

"Nee. Jij wel?"

Ik schraap mijn keel. "Ja, soms."

"Waarom zou ik over iemand nadenken die zich achter zeventigduizend sluiers verstopt?"

"Staat dat in jouw boek?" vraag ik.

"Ja. Achter zeventigduizend sluiers van licht en duisternis."

"Als je je dat van die sluiers zo goed kunt herinneren, denk je toch ook na over God!"

"Ja, maar alleen omdat we er op school over praten. En omdat mijn ouders me een deel van mijn zakgeld zullen inhouden als ik nog een keer met een onvoldoende thuiskom."

"Geloof je dan in... engelen?" vraag ik voorzichtig.

Hij grijnst. "Bedoel je blonde engelen met grote borsten zoals in de blaadjes van mijn vader?"

"Nee!" Ik merk dat ik begin te blozen. "In echte engelen, die waarover meneer Findling het de hele tijd heeft."

"Jij wel?" antwoordt hij. "Geloof jij daarin?"

Ik knik.

"Dat moet ook wel," merkt hij op. "Jij komt altijd met negens en tienen naar huis."

"Niet daarom," antwoord ik.

"Waarom dan wel?"

"Omdat engelen echt bestaan! Omdat je ze kunt zien en horen en voelen!"

"Wat mij betreft: voelen," zegt Manfred breed grijnzend. "Maar zien en horen... nee, bedankt."

"Wacht nou maar af," antwoord ik. "Over een paar dagen zul je naast een echte engel zitten."

"Naast een echte engel?" vraagt hij geschrokken.

"Ja! En de engel kan nauwelijks wachten tot hij, nee, zij, naast je mag zitten."

"Oh, een vrouwelijke engel! Is ze mooi?"

"Ja..."

"Groot of klein?"

"Klein."

"Dik of dun?"

"Veeleer dun."

"En jij zegt dat ze binnenkort naast me zal zitten?"

"Ja."

"Wanneer precies?"

"Dat mag ik je niet zeggen."

"Je schijnt nogal dik met jouw geheimzinnige engel te zijn," merkt Manfred op.

"Dat kun je wel zeggen." Ik moet lachen.

Daarmee wek ik zijn wantrouwen. "Vertel me niet dat het je zusje is!" roept hij.

Ik bijt op mijn lippen.

"Is het je zusje?"

"Nee!" zeg ik. Tenslotte heb ik Hanna beloofd dat ik niets tegen Manfred zou zeggen.

"Welke engel zal dan naast me zitten?" vraagt Manfred.

"Angelica," zeg ik.

"Angelica?"

"Ja. Ze heeft me verteld dat ze absoluut naast je wil zitten."

"Dat serpent?" antwoordt Manfred. "Zij is beslist geen engel."

"Maar zo heet ze. Angelica betekent engeltje," zeg ik.

Manfred verdraait zijn ogen. "Als je eens wist hoe moe ik word van jou en jouw engelen..."

En dat is het laatste wat ik over het onderwerp God en engelen uit hem loskrijg.

's Middags zijn Hanna en ik alleen thuis. Onze vader is bij dokter Bienstein en onze moeder is boodschappen aan het doen. Hanna was graag met haar meegegaan. Maar onze moeder heeft vanochtend toen ik op school zat de plak chocolade gevonden die Hanna op de reünie in het haltafeltje had verstopt. Of beter gezegd: wat nog van de chocolade over was. Voor straf heeft Hanna nu huisarrest.

En nu zit ik aan de keukentafel mijn hoofd te breken over wat ik over God zou kunnen schrijven. Het is veel moeilijker dan ik gedacht had. En mijn gedachten zijn eigenlijk te persoonlijk om op te schrijven. Bovendien zijn het geen duidelijke, vastomlijnde gedachten. Maar God is ook niet iets duidelijks en vastomlijnds, vind ik.

God is het meest ingewikkelde en onbegrijpelijke wat je je maar kunt voorstellen.

Nee, wat je je net niet kunt voorstellen.

Omdat me niets te binnen wil schieten, roep ik: "Je moet me helpen!" naar de andere kant van de woonkamer.

Hanna ligt op het tapijt mama's tijdschriften in te kijken.

"Waarmee?" roept ze terug.

"We moeten een opstel schrijven over: 'Wie is God eigenlijk?'"

"Dat is een vreemde titel."

"Vertel mij wat!"

"En wat heb je geschreven?" vraagt Hanna.

"Tot nu toe nog niets," antwoord ik. "Het is het moeilijkste onderwerp dat meneer Findling ons ooit heeft opgegeven."

"Zo moeilijk vind ik het niet," antwoordt ze.

"Nee?"

"Nee. Helemaal niet."

"Zeg me dan toch wat ik moet opschrijven!"

Hanna komt de keuken in.

"Schrijf gewoon: 'God is God!'" stelt ze voor.

"God is God?" herhaal ik. "Dat klinkt niet erg diepzinnig."

"Waarom niet? Een geheim is ook alleen maar een geheim als het een geheim is. Precies zo is het met Onze Lieve Heer."

"Ik denk niet dat meneer Findling daar tevreden mee zou zijn."

"Het maakt toch niet uit of meneer Findling daar tevreden mee is." Hanna zet haar gezicht op koppig. "Het belangrijkste is dat het waar is."

"Op school is dat het belangrijkste niet," verbeter ik haar. "Daar moet je schrijven wat de leraar wil horen."

"En wat wil meneer Findling horen?"

"Iets slims, iets geleerds. Bijvoorbeeld dat God zich achter zeventigduizend sluiers verstopt."

"Onze Lieve Heer zal nogal wat moeite hebben als hij daardoor wil kijken!"

Hanna giechelt.

"Bedoel je dat God zich niet achter zeventigduizend sluiers verstopt?" vraag ik vol verwachting, in de hoop eindelijk iets meer te horen te krijgen.

Maar Hanna antwoordt diepzinnig: "Hij kan zich achter zeventigduizend sluiers verstoppen. Maar hij kan zich ook in deze bloem hier verstoppen." Ze wijst naar de pot met vlijtige liesjes op onze vensterbank.

"God? In die uitgedroogde bloem?"

"Jazeker," zegt Hanna, alsof er niets vanzelfsprekenders bestaat. "Tenslotte kan God alles."

"Maar in bloemen kruipt hij toch zeker niet. En zeker niet in half verwelkte."

"Dat hoeft hij ook helemaal niet," legt Hanna uit. "Want hij zit al in die bloem."

"Wat zeg je?"

"Ja. Onze Lieve Heer zit overal in. In alles!"

"Dan moet hij ook in meneer Findlings rode vulpen zitten waarmee hij morgen een onvoldoende in zijn zwarte boekje zal noteren," merk ik op.

Hanna knikt heel ernstig. "Natuurlijk."

"Kun je me dan tenminste vertellen hoe God eruitziet?" vraag ik.

Ze schudt haar hoofd. "Denk je dat ik door zo veel sluiers heen kan kijken?"

"Dat over de sluiers heb ik je toch net verteld!" werp ik tegen. "Als je me wilt helpen moet je me een paar nieuwigheden vertellen, een paar ongewone dingen die alleen een kleine engel kan weten."

"Ik heb je alles verteld wat ik weet." Hanna keert zich om. "En God zit in meneer Findlings vulpen, neem dat maar van mij aan!"

"Jaja," zeg ik. "Wie dat gelooft, krijgt een onvoldoende."

Maar met een onvoldoende kan ik net zo slecht thuiskomen als Manfred. Daarom sla ik uiteindelijk het dikke woordenboek op dat we van onze grootvader hebben geërfd. En er staat:

God is het uit zichzelf bestaande personele Absolute, het slechts in gedachten te onderscheiden geheel van zijn geopenbaarde eigenschappen, het volkomen Zijn. God is oneindig in verstand en wil. God is onveranderlijk naast de door hem geschapen tijd en alomtegenwoordig in de door hem geschapen ruimte.

Dat klinkt heel mooi en heel geleerd. Maar gebruiken kan ik het jammer genoeg niet omdat meneer Findling dadelijk zou merken dat het mijn eigen gedachten niet zijn. En wanneer hij merkt dat we iets gewoon overgeschreven hebben, krijgen we een onvoldoende.

Ik zucht diep.

"Heb je nog steeds niets geschreven?" vraagt Hanna vanuit de woonkamer.

"Nee."

"Waarom schrijf je niet dat God een vulkaan is?"

"Een vulkaan?"

"Ja. Een vulkaan die tot de kater toe vol liefde zit en die dan - woem! - over de wereld laat spatten."

"Het is geen kater, maar een krater," verbeter ik haar. "En als ik zoiets opschrijf, stuurt meneer Findling me - woem! - terug naar de eerste klas."

"Dat moet een mopperpot zijn, die meneer Findling," vindt Hanna. "Bij hem zou ik niet veel plezier beleven op school."

"Het is ook niet de bedoeling dat je daar plezier beleeft."

"Waarom niet?"

"Omdat het de bedoeling is dat je op school iets leert."

"Waarom moet jij dan opschrijven wie God is?" vraagt Hanna. "Als het de bedoeling is dat je op school iets leert, moet meneer Findling uitleggen wie Onze Lieve Heer is."

"Nou ja, waarschijnlijk weet meneer Findling het ook niet precies," voegt ze er giechelend aan toe. "En daarom vraagt hij van zijn leerlingen een paar goeie tips."

"Waarschijnlijk." Ik zucht nog een keer. "Laat je me nu alsjeblieft even in stilte denken?"

"Nu heb ik iets prachtigs bedacht!" Hanna komt de keuken binnengelopen. "Iets wat zelfs meneer Findling graag zal horen."

"En dat is?" vraag ik.

"Schrijf op dat Onze Lieve Heer de grootste schilder van alle tijden is, nog veel groter dan Piek-As!"

"Of meneer Findling dat graag zal horen..."

"Maar Onze Lieve Heer is de grootste schilder. Hij heeft meer kleuren dan alle andere schilders samen."

"Ik zou niet zeggen dat God een schilder is," antwoord ik.

"En waarom niet?" vraagt Hanna. "Bedenk toch hoe elk jaar de bomen in de herfst zulke mooi gekleurde bladeren krijgen. Dan moet Onze Lieve Heer duizend of nog meer verschillende soorten rood en bruin en geel hebben."

"Ja. Maar God schildert de bladeren niet. Hij laat ze alleen maar groeien. Je zou beter kunnen zeggen dat God de grootste tuinier ter wereld is. Maar in werkelijkheid is hij natuurlijk veel meer."

"Wat nog meer?"

"Hoe moet ik dat uitleggen?" Ik denk na. "Weet je nog hoe we afgelopen jaar zonnebloemen geplant hebben?"

Hanna knikt.

"Weet je ook nog hoe we dat gedaan hebben?"

"Ja. We hebben zonnebloempitten in de grond gestopt," antwoordt ze.

"Precies. En waar hebben we de zonnebloempitten gehaald?"

"Uit de zaadwinkel."

"Juist. En waar heeft de zaadwinkel ze gehaald?"

"Van Onze Lieve Heer?"

"Nee. Uit een tuinbouwbedrijf waar ze zonnebloemen kweken. Maar dat bedrijf heeft ze, als je wilt, bij God gehaald. Omdat God de planten geschapen heeft, en dus ook de zonnebloemen."

Hanna kijkt me onderzoekend aan. "Volgens mij ben jij ook een engel!"

"Ik? Absoluut niet! Dat zou ik toch moeten weten, of niet?"

"Nee, waarom?" antwoordt ze. "Ik wist toch ook niet dat ik een engel ben?"

"Ik ben absoluut geen engel!" Ik laat haar de lege bladzij in mijn schrift zien.

"Zie je wel? Dat is wat ik over God weet: helemaal niets."

Hanna schudt haar hoofd. "Je weet veel meer over Onze Lieve Heer dan ik."

"Nee!"

"Jawel! Je wist dat het tuinbouwbedrijf de zonnebloemen van Onze Lieve Heer heeft gekregen. En ik dacht dat het de zaadwinkel was."

"Dat wist ik alleen maar omdat we er op school de hele tijd over praten," leg ik uit.

"Zal ik je vertellen waarom ik nog meer denk dat je een engel bent?" vraagt ze.

Ik voel me niet helemaal meer op mijn gemak. "Als je dan zo graag wilt..."

"Onze Lieve Heer heeft jou eerst naar mama gestuurd om haar hart te laten ontdooien. Maar toen heeft hij gemerkt dat je het niet alleen aankon omdat mama's hart zo heel erg bevroren is. Waarschijnlijk is haar hart het koudste op de hele wereld. En toen heeft Onze Lieve Heer mij als versterking naar beneden gestuurd."

Ik voel me ineens heel vreemd. "Ik ga maar naar buiten een luchtje scheppen," zeg ik.

"Oh, ik ook!" schreeuwt Hanna.

"Nee. Je moet hier blijven. Je mag van mama het huis niet uit."

"Maar nu is mama er niet. Dan mag ik doen wat ik wil."

"Nee, dat mag niet," ga ik ertegen in. "Mama heeft gezegd dat je onder mijn toezicht staat."

"En hoe wil je mij bezichtigen als je naar buiten gaat?" vraagt Hanna uitdagend.

"Ik moet je niet be-zichtigen, ik moet toe-zicht houden. En ik blijf niet lang buiten."

"Dan ga ik zeker met je mee."

"Wat als mama je ziet?"

Hanna trekt haar schouders op. "Doet ze niet. Mama blijft altijd een eeuwigheid weg als ze boodschappen doet."

Maar buiten voor het huis lijkt ze zo zelfverzekerd niet meer. Ze kijkt voortdurend de straat op en al na een paar minuten mompelt ze: "Laten we maar weer naar binnen gaan."

"Ben je nu bang?" vraag ik.

"Nee," beweert ze. "Ik heb het koud."

Dus gaan we het appartement weer in. Daar bladert Hanna weer in de tijdschriften van onze moeder en probeer ik een paar verstandige gedachten over God in mijn schrift te krijgen.

Ik heb al geschreven: *God kun je niet verklaren omdat hij het absolute in persoon is,* wanneer de sleutel in het slot wordt omgedraaid en ik de stemmen van onze ouders hoor.

"Is Hanna zoet geweest?" vraagt onze moeder nadat ze haar mantel aan de kapstok heeft gehangen.

"Ja," antwoord ik.

"En heeft ze zich aan het huisarrest gehouden?"

Ik aarzel.

"Wat nou? Ben je je tong kwijt?" scheldt ze.

"Nee..." Ik denk na wat ik moet vertellen. Het kan dat onze moeder aan de buren vraagt of we buiten zijn geweest. En ik mag in geen geval op een leugen worden betrapt, ook niet voor Hanna.

Aan de andere kant wil ik verhinderen dat Hanna weer

in de badkamer wordt opgesloten. En dat zou gebeuren als onze moeder ontdekte dat ze naar buiten is gegaan.

"Ik voelde me ineens zo duizelig," zeg ik. "En toen ben ik even een frisse neus gaan halen."

"Had ik het niet gedacht," zegt onze moeder. "En juffrouw Ongehoorzaam is gewoon met je meegegaan, niet? Ook al stond ze onder huisarrest!"

"Hanna wilde helemaal niet," vertel ik. "Maar ik kon haar toch niet alleen laten, want ze stond onder mijn toezicht."

"Dat was toch heel verantwoordelijk van Wolfgang," merkt onze vader op.

"Verantwoordelijk?" Onze moeder lacht hees. "Ik denk dat er iets heel anders gebeurd is."

"Wat dan wel?"

"Ze verveelden zich allebei. En daarom wilden ze naar buiten, voor de verandering."

"Maar in dit kleine appartement kun je gemakkelijk duizelig worden," is onze vader van mening.

"Ja, in dit kleine appartement kun je werkelijk duizelig worden!" zegt onze moeder en met een heftige beweging rukt ze het raam open.

Tot mijn verbazing blijft het daarbij. Hanna wordt niet in de badkamer opgesloten en van het gebraden kippetje dat onze ouders hebben meegebracht krijgt zij ook wat.

"En toch ben je een engel," fluistert ze me toe. "Mijn beschermengel!"

"Nee, geen engel," spreek ik haar tegen. "Maar beschermd heb ik je wel!"

Na het eten ga ik weer met mijn schrift aan de keukentafel zitten. Onze moeder heeft er een hekel aan wanneer ik 's avonds laat nog huiswerk maak. Maar vandaag zit er niets anders op.

"Wolfgang?" roept ze vanuit de woonkamer. "Ben je nog met je huiswerk bezig?"

"Ja," geef ik toe.

"Had je niet genoeg tijd?"

"Jawel."

"Maar je luierde liever, nee?"

"Ik heb niet geluierd. Ik... het ligt aan het onderwerp."

"Wat voor onderwerp?" Ze komt de keuken in.

Ik laat haar de titel in mijn schrift zien: 'Wie is God eigenlijk?' en die ene zin die ik tot nu toe geschreven heb.

"Dat is alles wat je kunt bedenken?" vraagt ze beschuldigend.

"Tot nu toe," geef ik toe.

Ze pakt mijn schrift. "*Het absolute in persoon...* Voor die onzin heb je de hele middag nodig gehad?"

"Het onderwerp is onzin!" roept onze vader vanuit de woonkamer.

"Hou je erbuiten!" antwoordt onze moeder.

"Maar dit soort onderwerpen hoort niet thuis op school," houdt onze vader vol.

"Ik ben er fel op tegen dat de kerk nu ook al onder schoolkinderen zieltjes mag komen winnen. En niet alleen omdat ze dan nog meer kerkbelasting in hun zak kunnen steken."

"En wat dan nog!" zegt onze moeder. "Dat helpt ons nu toch niet verder. Of wil je dat meneer Findling morgen aan de hele klas laat weten dat wij een gezin van goddeloze heidenen zijn?"

"Nee," zegt onze vader.

"Nu dan!" Onze moeder gaat zitten. "Hoe lang moet dat opstel worden?"

"Een bladzij," antwoord ik. "Ongeveer."

Ze denkt even na. Daarna zegt ze: "Gom je zin weer uit."

Ik doe wat ze zegt.

"En nu schrijf je op wat ik je dicteer:

Dezer dagen, waarin de mens haast geen ogenblik rust meer vindt om zich met geestelijke zaken te onderhouden, is de vraag 'Wie is God eigenlijk?' een dankbaar en belangrijk onderwerp dat je ofwel algemeen kunt benaderen ofwel als een persoonlijke belijdenis. Je zou God een anker kunnen noemen dat ons in de branding van het moderne leven houvast geeft, waardoor we geen schipbreuk lijden en te pletter varen op de naakte klippen van het dagelijkse leven. Juist in deze jachtige tijd met al haar verzoekingen en gevaren is een stevig houvast, een veilige burcht belangrijker dan ooit tevoren. Daarom kun je ook stellen: 'Een veilige burcht is onze God'."

Ze zwijgt. "Dat moet genoeg zijn," vindt ze.

"Eigenlijk had de tekst van jou moeten komen," merkt ze op tegen onze vader. "Jij wilt toch altijd de dichter van de familie spelen?"

Hij hoest. "Maar niet in zulke vraagstukken."

"Jaja," antwoordt ze. "Als we op jou moeten wachten, wachten we morgen nog."

"Nou, wat zeg jij?" zegt ze nog en ze keert zich naar mij.

Ik krimp in elkaar. "Ik?"

"Ja. Of wil je me niet bedanken?"

"Jawel. Natuurlijk. Hartelijk dank, mama."

"Graag gedaan. En nu maar hopen dat het de moeite waard was."

Vrijdag 11 oktober

Maar het was de moeite duidelijk niet waard.

Bij het begin van de taalles zegt meneer Findling dat hij het onderwerp verkeerd heeft ingeschat en dat hij het huiswerk daarom weer wil intrekken. Mevrouw Mühlhorn, de moeder van Angelica, had gisteren naar hem gebeld en onder het gesprek was hem duidelijk geworden dat het onderwerp 'Wie is God eigenlijk?' een veel te moeilijke vraag was voor mensen van onze leeftijd.

"De onbeschaamdheid!" zegt onze moeder wanneer ik er haar onder het middageten over vertel. We eten koud vandaag omdat onze moeder wasdag heeft.

"Waar mensen hun hand al niet meer voor omdraaien! Ze bellen gewoon naar de leraar wanneer het huiswerk te moeilijk is!"

"Mevrouw Mühlhorn bedoelde het toch niet kwaad," werp ik tegen.

"Oh nee? Hoe bedoelde ze het dan wel?"

"Ze wilde ons vast alleen maar helpen."

"Ach... En ik wilde je niet helpen, is het dat?" Onze moeder schuift haar stoel driftig naar achteren.

"Jawel..."

"Maar dat was dan ook de laatste keer," laat ze me weten. "In het vervolg moet je zelf maar zien hoe je het met je huiswerk doet."

Ze staat op en zet koers naar de badkamer.

"Kun je mama niet een beetje sparen?" houdt onze vader me voor. "Je weet toch dat ze vandaag wasdag heeft."

"Ja," zeg ik verlegen.

Wanneer onze moeder wasdag heeft, is ze altijd slechtgehumeurd, waarschijnlijk omdat ze dan voortdurend tussen de wasserette aan het eind van de straat en ons appartement heen en weer moet lopen. Bovendien kan ze niet tegen het vele bukken en het lastige tillen.

Gelukkig is onze vader er om te helpen. Gewoonlijk heeft onze moeder alleen maar Hanna en mij. Wij trekken altijd het wagentje met de wasmanden en het waspoeder dat onze vader zelf gemaakt heeft.

Maar vandaag wil ze ons er niet bij.

"Het wassen is al belastend genoeg," legt ze uit. "Het ontbreekt er nog aan dat jullie me de hele tijd in de weg staan."

"Maar ik wil graag mee!" zegt Hanna. "Ik vind het grappig om de natte kleren in de wastrommel te zien ronddraaien."

"Grappig?" herhaalt onze moeder. "Wacht maar tot je zelf een man en twee kinderen hebt voor wie je de vuile was moet doen. Dan zul je het zo grappig niet meer vinden."

"Misschien heb ik later wel geen man of kinderen," antwoordt Hanna.

Onze moeder lacht spottend. "Jij denkt dat alles je zomaar in de schoot zal vallen! Maar het leven houdt geen rekening met je wensen."

"Precies," valt onze vader haar bij. "Het leven zet je op je plaats en zegt: nou, klein mens, bijt nu maar door die zure appel!"

"Zo is het maar net," zegt onze moeder. "En zuur is vaak nog een te mooi woord. In veel gevallen is het zelfs een afschuwelijk rotte appel."

Wanneer ze dat zegt, kijkt ze naar onze vader. Hij hoest verlegen, maar antwoordt niet.

Even later gaan onze ouders op weg naar de wasserette.

"Wat denk je, waarom heeft mama ons allebei gekregen?" vraagt Hanna wanneer we alleen zijn.

"Waarom?" herhaal ik. "Omdat ze met papa getrouwd is."

"Maar mevrouw Beckmann is ook getrouwd. En toch heeft ze geen kinderen."

"Misschien krijgt ze ze nog."

"Nee. Mevrouw Beckmann heeft gezegd dat er al te veel ongelukkige kinderen op de wereld rondlopen en dat ze er liever een paar zou adopteren."

"Zei ze dat?"

"Ja. En weet je wat ik haar toen gevraagd heb?"

"Nee, wat?"

"Ik heb haar gevraagd of ze ons niet wil nemen, jou en mij."

"Heb je dat gevraagd?" zeg ik geschrokken.

Hanna knikt.

"Als mama daarvan hoort, zal ze zeker heel, heel woedend zijn!" maak ik haar duidelijk.

"Mama zal het toch niet horen," antwoordt Hanna. "Mevrouw Beckmann wil ons namelijk niet. Ze wil weeskinderen adopteren die helemaal geen ouders meer hebben."

"Juist!" zeg ik opgelucht. "En wij hebben ouders. Ouders die van ons houden," voeg ik eraan toe. "Op hun manier."

"Zoals Alaska," merkt Hanna op.

"Nee, niet altijd," breng ik ertegen in. "De laatste dagen was het als Denemarken."

"Maar bij mama kan elk moment weer een sneeuwstorm losbarsten."

"Zeker als jij aan mevrouw Beckmann vraagt of ze ons wil adopteren."

Hanna trekt een gekwetst gezicht. "Mevrouw Beckmann zegt dat kinderen adopteren veel moeilijker is dan krijgen. Ik wil later ook kinderen adopteren. Waarschijnlijk kan ik zelf ook geen kinderen krijgen."

"En waarom niet?"

"Omdat engelen geen kinderen krijgen. Of heb je wel eens een engel met een dikke buik gezien?" Hanna giechelt.

"Nee." Ik merk dat ik bloos. "Ik heb nog maar één engel

gezien in mijn leven: jij."

"Echt gezien heb je me nog niet," antwoordt ze.

"Hoe bedoel je: echt?"

"Je hebt mijn hemelse veren nog niet gezien."

"Ja, dat is waar."

"Maar waarschijnlijk is het beter dat je ze niet ziet. Omdat je dan vreselijk zou schrikken."

"Niet bij jou," spreek ik tegen.

"Maar misschien heb ik reuzegrote vleugels."

"Nee, jij hebt vast hele kleine vleugeltjes."

"Denk je?" Hanna glimlacht.

"Ik zou mijn vleugels zo graag zelf eens zien!" zegt ze na een stilte. "Ik heb Onze Lieve Heer al gevraagd of hij ze me wil laten zien, even maar, wanneer ik langs de spiegel loop. Ik wil namelijk absoluut weten wat voor kleur ze hebben. Het liefste zou ik witte vleugels willen met een beetje roze. Maar daarop heeft Onze Lieve Heer me geen antwoord gegeven."

"Antwoordt hij anders altijd?" Ik merk dat mijn hart sneller slaat.

"Meestal."

"En hoe klinkt zijn stem?" vraag ik. "Is het een diepe stem, zoals die van papa? Of meer hoog zoals van meneer Findling?"

"Ze klinkt gewoon niet."

"Dat begrijp ik niet!"

"De stem van Onze Lieve Heer is een stem vanbinnen," legt Hanna uit.

"Een stem vanbinnen? Wat betekent dat?"

"Dat betekent dat je alleen binnen in jezelf hoort wat Onze Lieve Heer zegt."

"Spreekt hij niet met woorden zoals jij en ik?"

"Nee. Dat zou nogal een orkest worden!"

"Hoe bedoel je?" vraag ik.

"Omdat de mensen verschillende talen spreken. Dan zou God wel honderd talen moeten leren of nog meer."

"Maar daar zou hij zijn hand toch niet voor om hoeven te draaien," zeg ik. "Hij is toch God!"

"En de talen van de dieren zou hij ook nog moeten spreken," gaat Hanna voort. "Nee, dat zou Onze Lieve Heer te veel worden. Daarom spreekt hij tegen je met je stem vanbinnen."

"Tegen mij?" Ik schud mijn hoofd. "Tegen mij heeft God nog nooit gesproken."

"Jawel. Je bent het vergeten, dat is alles," antwoordt ze. "Of de stemmen eromheen waren te luid."

"Welke stemmen eromheen?"

"De andere stemmen. Zij kunnen zo luid worden dat je gewoon niet merkt dat er daarbinnen nog een stem zit, en wel de belangrijkste van allemaal."

"Maar wat zeggen die andere stemmen dan?"

"Tegen meneer Müller zeggen ze bijvoorbeeld dat hij bier en sterke drank moet drinken."

"En wat zeggen ze tegen jou?"

"Tegen mij?" Hanna denkt na. "Niet veel," antwoordt ze

dan. "Ik zeg altijd dat ze stil moeten zijn zodat ik mijn stem vanbinnen kan horen."

"En die stem vanbinnen is er bij iedereen?"

"Ja," bevestigt Hanna.

"Dus kan iedereen met God praten?"

"Ja."

"Mama dus ook!"

"Mama?" Hanna aarzelt. "Ik denk dat de stemmen eromheen bij mama te luid zijn.

"En wat zeggen de stemmen eromheen tegen mama?"

"Oh, heel veel. Dat ze een goeie indruk op de buren moet maken, dat ze de dames van de reünie alleen maar het allerbeste mag aanbieden, dat ze altijd mooi gekapt moet zijn en dat papa van haar niet in oude broeken mag rondlopen waar zijn knieën in staan."

"Zoveel vind ik dat ook weer niet," merk ik op. "Met die stemmen eromheen moet mama haar stem vanbinnen nog goed kunnen verstaan."

"Waarschijnlijk ligt het bij mama ook niet aan de stemmen eromheen," denkt Hanna. "Waarschijnlijk is mama binnenin te diep bevroren. Door zo'n dikke ijslaag kan zelfs de stem van Onze Lieve Heer niet dringen."

"Ja, en daarom heeft God jou naar ons toegestuurd!" zeg ik. "Om haar te ontdooien, zodat mama haar stem vanbinnen weer kan horen."

"Onze Lieve Heer heeft ons allebei gestuurd," antwoordt Hanna.

"Nee, mij niet," weer ik af. "Ik wist niet eens dat er een stem vanbinnen bestond."

Hanna bekijkt me onderzoekend. "Jij wilt gewoon geen engel zijn!"

"Het maakt niet uit of je het wel of niet wilt," antwoord ik.

"Waarmee dan wel?"

"Of je een engel bent of niet. Je kunt nog zo graag willen dat je een engel was, toch zou je er niet een worden!"

"En als je geen engel meer zou willen zijn, moet je dan toch een engel blijven?"

"Ja," zeg ik. "Wil je geen engel meer zijn?"

"Vaak wel..." antwoordt ze.

"Maar op zondag heb je gezegd: wat leuk dat ik een engel ben," breng ik haar in herinnering. "En net heb je je nog afgevraagd hoe je vleugels eruitzien."

Ze perst haar lippen op elkaar zonder iets te zeggen.

"Denk nou toch aan alle voordelen die je als engel hebt: je kunt vliegen, je leeft eeuwig en je sterft nooit!" zeg ik. "En vooral: je bent heel dicht bij God!"

"Maar je krijgt zulke moeilijke taken," antwoordt Hanna. "En ook..."

Ze houdt op. Ik zie tranen in haar ogen. "En ook zou ik niet altijd zo alleen willen zijn. Waarom kun je mijn mee-engel niet zijn?"

Ineens voelt mijn keel heel droog. "Omdat ik geen engel ben!" antwoord ik met een rauwe stem.

Hanna kijkt naar het raam. "Eigenlijk zijn engelen nooit alleen," zegt ze zacht. "Mevrouw Beckmann heeft een boek met platen van engelen en daar zijn de engelen altijd samen."

"Maar alleen in de hemel," antwoord ik. "Als de engelen naar de mensen worden gestuurd, zijn ze helemaal op zichzelf aangewezen."

"Daarom dus." Hanna veegt met haar hand over haar ogen. "Daarom zou ik liever geen engel meer zijn."

"Of je een engel bent of niet heb je niet voor het kiezen," leg ik uit. "En wanneer de engelen hun taak onder de mensen volbracht hebben, keren ze naar de hemel terug. En in de hemel vinden ze de andere engelen terug. Dat is dan hun beloning."

"Wat?"

"Dat ze in de hemel weer de andere engelen zien!"

Hanna knippert met haar ogen. "Hebben de engelen in mevrouw Beckmanns boek daarom zulke gelukkige gezichten?"

"Ja," zeg ik. "Ze zijn zo gelukkig omdat ze op de aarde zijn geweest en de mensen hebben geholpen!"

"En wat gebeurt er met de engelen die bij de hopeloze gevallen waren?"

"Welke hopeloze gevallen bedoel je?" vraag ik.

"De gezinnen waarin zelfs de kleine engelen niets meer kunnen beginnen," antwoordt Hanna.

"Ach, die..."

"Denk je dat die engelen in de hemel toch gelukkig zijn, ook wanneer zij de mensen niet hebben kunnen leren hoe je van de anderen kunt houden?"

"Oh ja," verzeker ik. "In de hemel zijn alle engelen gelukkig. Het geeft niet bij welk gezin ze zijn geweest."

"Alleen op aarde waren de engelen niet gelukkig, zoals ik nu..." zegt Hanna zacht.

Ik voel een steek. "Maar je bent toch wel een beetje gelukkig?" antwoord ik. "Een klein beetje?"

Ze schudt zwijgend haar hoofd.

"Overmorgen, op mijn verjaardag, zul je zeker heel gelukkig zijn," probeer ik haar op te beuren. "Als je dan naast strooien dakje zit... Ik ben er zeker van dat hij daar heel blij mee zal zijn."

"Denk je?"

"Oh ja. Wie zou er niet blij zijn als hij naast een engel kon zitten?"

"Ik zou het leuker vinden als hij blij was dat hij naast Hanna kon zitten," antwoordt ze.

"Maar dat is toch hetzelfde," zeg ik terwijl ik de voordeur hoor opengaan.

Ik sta op. "Dat was het langste gesprek van mijn leven," fluister ik tegen Hanna.

"Wolfgang?" Onze moeder verschijnt in de woonkamer. "Je moet papa helpen dragen."

"Ja, mama!"

Wanneer onze moeder de was doet, strijkt ze meestal de middag erna. Maar deze keer stelt ze het uit tot maandag omdat onze vader dan weer moet werken en niemand haar bij het strijken kan storen, behalve Hanna.

's Middags is er goulash met aardappelen, mijn vaders lievelingseten. Maar ik vind het ook heel lekker. Alleen Hanna niet, zij houdt niet van aardappelen en ook niet van vlees. Onze moeder schept toch een nogal grote portie op Hanna's bord en zegt dat ze moet voortmaken en alles moet opeten. Maar Hanna eet alleen muizenhapjes.

Eindelijk, wanneer wij, de anderen, allang klaar zijn en wachten tot we zoals afgesproken met onze middagwandeling kunnen beginnen, pakt onze moeder haar bord weg en zet het onze vader voor.

"En voor straf omdat je zo slecht gegeten hebt, krijg je vandaag tijdens de wandeling geen ijs," laat ze Hanna weten.

"Ik wil toch niet mee," antwoordt Hanna.

"Je wilt niet mee?" zegt onze moeder haar na. "Ja, ja, wanneer we weg zijn, wordt het hele huis overhoop gehaald! Nee mevrouwtje, ik denk er niet aan."

"Maar alleen wandelen is vervelend," antwoordt Hanna.

117

"En we nemen altijd dezelfde weg."

"Ja, omdat we op die weg zo veel mensen tegenkomen," legt onze vader uit. "Bovendien is boslucht gezond."

"Sonja rijdt elk weekend met haar ouders met de auto naar het platteland of naar de bergen," zegt Hanna.

Sonja woont aan het einde van de straat. Hanna speelt soms met haar, tot ongenoegen van mijn moeder. Ze zegt dat Sonja een slechte invloed op haar heeft.

Onze moeder is helemaal rood geworden. "En omdat jouw Sonja een auto heeft en wij niet, voel je je plotseling te goed om met ons te gaan wandelen, zit het zo?"

"Nee," zegt Hanna. "Ik zou alleen liever thuisblijven om te tekenen."

"En nog een paar tafelkleden naar de drommel helpen!" Onze moeder schudt boos haar hoofd. "Nee, jij komt met ons mee. Ik wil er geen woord meer over horen!" snijdt ze Hanna de pas af.

"Trouwens, een beetje zon kan je alleen maar goed doen," zegt onze vader.

"Willy heeft al gevraagd of Hanna ziek is omdat ze er zo bleek uitziet."

"Welke Willy?"

"Willy Hansen, mijn vroegere kamergenoot, met zijn rokersbeen."

"Ach," zegt onze moeder misprijzend. "Hij kletst maar raak..."

Maar Hanna ziet er echt heel bleek uit, dat valt me onderweg duidelijk op.

Anderzijds kan ik me een engel met een door de zon gebruinde huid ook niet voorstellen. De gedachte alleen al brengt me aan het lachen.

"Wat is er zo grappig?" wil onze moeder weten.

"Ach," zeg ik. "Ik vroeg me net af of er ook door de zon gebruinde engelen bestaan."

"Geen engelen," antwoordt ze. "Maar satanskinderen zoals Hanna, die krijgen een zwarte huid, van het hellevuur."

"Wat heb ik dan gedaan?" vraagt Hanna.

"Wat je gedaan hebt?" Onze moeder snuift geërgerd. "Je bent opstandig en koppig, je eet je bord niet leeg en je verkiest opgeblazen opscheppers boven je eigen ouders, alleen maar omdat ze een auto hebben!"

"Maar Liesel toch," bemoeit onze vader zich ermee. "We willen toch niet ruziemaken?"

"Ruziemaken?" Onze moeder lacht hees. "Ik maak geen ruzie."

"Bovendien zou ik graag een zwarte huid willen hebben," laat Hanna weten. "Want dan lijk ik op tante Jessica!"

"Hanna!" zeg ik geschrokken.

Ook onze moeder lijkt totaal van streek.

Onze vader schraapt zijn keel. "Dat was heel lelijk van je," verwijt hij Hanna. "Zie je niet hoeveel pijn je je moeder daarmee doet?"

Hanna rekt koppig haar hals.

119

"Laat maar, Heinz," zegt onze moeder. "Ze zal gauw genoeg merken wat haar gedrag haar oplevert!"

Voor de rest van de wandeling zwijgt onze moeder. Het is een ongezond zwijgen dat als een donkere onweerswolk boven Hanna's hoofd hangt. Maar Hanna doet alsof het haar niets kan schelen. Ze verzamelt felgekleurde herfstbladeren en vlecht ze tot een krans die ze op haar haar zet.

"Zal ik voor jou ook een krans vlechten?" vraagt ze aan mij.

"Nee, dank je," antwoord ik verlegen.

Terug in ons appartement moet Hanna de krans in de afvalbak gooien. Daarna sluit onze moeder haar in de badkamer op. Daar blijft Hanna tot het bedtijd is.

"Morgen is mama zeker beter gehumeurd," troost ik haar wanneer we in bed liggen.

"Denk je?" zegt Hanna twijfelend.

"Ja," antwoord ik. "Op mijn verjaardag is mama altijd goed gehumeurd."

Zondag 13 oktober

Ik word om halfzes wakker. Ik ben vreselijk opgewonden. Terwijl ik toch weet dat onze ouders deze keer geen geld voor grote cadeaus hebben.

Misschien ben ik zo opgewonden omdat op een verjaardag het feestvarken in het middelpunt van de belangstelling hoort te staan. Zoals op moederdag.

Op moederdag blijft onze moeder altijd in bed en maken wij het ontbijt klaar. Als we klaar zijn, maken we haar wakker met een lied en draagt onze vader zijn nieuwste moederdaggedicht voor. Ook na het ontbijt mag onze moeder geen vinger uitsteken.

Maar meestal gaat ze toch aan het werk omdat ze het niet gewend is om nietsdoend op een stoel te zitten.

Toch is er niets wat erop wijst dat ik vandaag in het middelpunt van de belangstelling zal staan. Onze moeder en Hanna slapen en uit de woonkamer, waar onze vader op de bank ligt, komt geen enkel geluid. Om de tijd te doden probeer ik Hanna's olifantenspel te spelen. Maar hoe ik ook met mijn duimen zwaai, mijn handen veranderen niet in olifanten. Intussen moet ik in slaap zijn gevallen, want plotseling is het bed van onze moeder leeg. En door de gordijnen komt krachtig zonlicht.

Hanna slaapt nog altijd. Ik loop op mijn tenen naar haar bed. Wanneer ze slaapt, ziet ze er pas echt uit als een engel. Het liefste zou ik nu een foto van haar nemen, voor op de titelpagina van mijn engelenboek. Maar van onze vader mogen we zijn fototoestel niet gebruiken. Het is nog van onze grootvader geweest en het is veel geld waard.

Bovendien zijn de foto's die je met het hart maakt de beste, zegt meneer Findling.

Wanneer ik Hanna's blonde lokken op haar witte kussen zie, haar wangen die in haar slaap zijn gaan blozen en haar lange, zijdeachtige wimpers heb ik in elk geval het gevoel dat mijn hart een paar keer 'klik' zegt.

"Zullen we Wolfgang nu wakker maken?" hoor ik nu vanuit de woonkamer. Het is de stem van onze vader. Ik krimp in elkaar. Daar was ik even vergeten dat het mijn verjaardag was.

"Ik ga hem wakker maken," zegt onze moeder.

Snel loop ik naar mijn bed en trek de dekens over mijn hoofd. Dan wacht ik vol spanning tot mijn moeder me wakker komt kietelen zoals wel vaker op mijn verjaardag.

En inderdaad pakken handen me onder de dekens vast. Maar het zijn heel kleine handjes en ze kietelen ook niet, maar knijpen en graaien.

"Ai!" protesteer ik en ik duw de dekens weg.

Natuurlijk is het niet onze moeder die naast mijn bed staat. Het is Hanna. En met haar schelmse lach ziet ze er niet erg engelachtig meer uit.

"Slanglaper!" zegt ze en ze geeft me een kus. "Hoe kun je je op je verjaardag verslapen?"

"Jij bent de langslaper," antwoord ik.

"Nee, jij." Ze loopt naar haar bed en komt met een in cadeaupapier gewikkelde doos terug. "Hier, voor jou."

"Dank je," zeg ik verlegen.

"Kijk eerst maar en bedank me daarna," antwoordt ze.

Voorzichtig maak ik de doos open. Er zitten twee kleine olifanten van glas in, van doorzichtig blauw glas.

"Vind je ze mooi?" vraagt ze.

Ik knik. "Ja! Ze zijn prachtig."

"Als je ze in je handen neemt, kunnen ze vliegen," legt Hanna uit.

"Ik laat ze liever in hun doos," antwoord ik. "Anders gaan ze nog stuk."

"Angsthaas!" Hanna kietelt me onder mijn voetzolen en ik lach hard.

Op dat moment gaat de deur open en komt onze moeder binnen. "Is Wolfgang al wakker?" vraagt ze.

"Ja. Maar ik moest hem wakker knijpen," zegt Hanna. "Hij heeft geslapen als een motmar."

"Ja, in dat geval…" Met een vreemd star glimlachje geeft ze me een hand.

"Gefeliciteerd met je verjaardag."

"Dank je," antwoord ik. Ik zit te wachten tot ze naast me komt zitten en mijn arm vastpakt. Maar ze zegt alleen maar:

"Als je klaar bent met je kinderachtige gedoe, kun je komen ontbijten," en klapt de deur achter zich dicht.

Verbluft vraag ik aan Hanna: "Weet jij wat mama heeft?"

Ze schudt haar hoofd. "Mama is een ijsberg midden in de ijszee! En van ijsbergen weet je ook niet veel, omdat het grootste stuk onder water zit."

"Mama is geen ijsberg," spreek ik haar tegen.

"Jawel."

"Nee!" Ineens is mijn stem volkomen hees. "Een ijsberg is helemaal van ijs, ook het stuk dat je niet kunt zien. Maar bij mama zit onder de ijslaag nog iets anders."

"Wat dan?" wil Hanna weten.

"Dat moet jij toch kunnen ontdekken!" zeg ik. "Daarom heeft God je ook gestuurd."

"Als ijsbreker bedoel je?"

"Ja!"

"Als ijsbreker..." Hanna giechelt. "Terwijl ik ijs zo lekker vind! Denk je dat we vandaag ijs krijgen? Het is wel jouw verjaardag."

"Natuurlijk."

"Ook al bij het ontbijt?"

"Nee. Dat kan ik me niet voorstellen."

En ik heb gelijk. Er is gebak en koek, maar geen ijs. Maar de stemming is wel ijzig, ondanks de gelukwensen en de cadeaus. Zelfs onze vader zet een gezicht als Noorwegen. De reden voor de slechte stemming krijgen we pas na het ontbijt te horen, wanneer onze ouders in de keuken de vaat doen en Hanna en ik in de gang met mijn twee nieuwe matchboxauto's spelen.

"Denk maar niet dat ik het hierbij laat!" zegt onze moeder dreigend.

Waarschijnlijk denkt ze dat Hanna en ik te ver weg zijn om haar te verstaan. Maar we horen elk woord.

"Onze verhouding is toch alleen maar zuiver geestelijk," antwoordt onze vader.

"Geestelijk?" Onze moeder lacht spottend. "Je denkt zeker dat ik achterlijk ben?"

"Nee. Maar het zijn toch maar onschuldige brieven."

"Onschuldig?" We horen papier ritselen en onze moeder leest voor: "Hier, met de datum van gisteren: *Mijn lieve Brigitte. Ik zit in mijn rode fauteuil aan jou te denken met alle liefdesvuur dat ik in me heb.*"

Onze vader hoest.

"En hier, een brief van woensdag," gaat onze moeder door. "*Mijn bovenal geliefde Brigitte! De hemel is vandaag zo blauw en zo diep als jouw wonderschone ogen waar ik in zou kunnen duiken om me op de donkere bodem volledig te verliezen.* Noem je dat onschuldig?"

"Nee." Onze vader schraapt zijn keel. "Maar zoals je ziet heb ik ze nooit verstuurd."

"Is dat zo? Daar ben ik niet van overtuigd!"

"En waarom niet?"

"Omdat ik weet hoe je bent. Je maakt altijd een klad-

125

versie. Dit hier is ongetwijfeld maar het klad en de echte brieven zijn ongetwijfeld allang bij je Brigitte aangekomen!"

"Nee. Er zijn geen andere brieven. Dat moet je van me aannemen."

"Aannemen? Van jou?" Onze moeder lacht honend. "Als ik vanochtend de wijn niet uit de kelder had gehaald, had ik nog steeds niet geweten dat je een verhouding hebt met die... die Brigitte."

"We hebben geen verhouding," spreekt onze vader haar tegen.

"En ik dacht dat je in de kelder zat om je tijd nuttig te besteden!" Onze moeder zucht diep. "Hoe lang wilde je het eigenlijk nog voor me verborgen houden?"

"Ik wilde het helemaal niet verborgen houden. En er is echt niets tussen Brigitte en mij. Alleen een oude herinnering."

"Aan oude herinneringen schrijf je geen liefdesbrieven!"

"Het zijn eigenlijk helemaal geen brieven," antwoordt onze vader. "Veeleer gedichten." Hij hoest.

"En nu krijg je weer een astma-aanval, is het niet?" zegt onze moeder. "Telkens als het onprettig voor je wordt, vlucht je in je astma. Net als jouw moeder! Zij heeft het je voorgedaan."

"Laat alsjeblieft mijn... moeder erbuiten."

"Ja, dat had je gewild! Zal ik je eens vertellen wat dokter Bienstein van je denkt? Dat je een moederskindje was,

126

bent en altijd zult zijn! Een week geworden, levensonbekwaam moederskindje!"

"Liesel!" verweert onze vader zich. "De kinderen!"

"De kinderen mogen gerust weten wat voor een vader ze hebben!"

Een ogenblik lang is het stil, akelig stil. Daarna wordt de radio aangezet. Er komt schlagermuziek uit. Daartussen horen we de stemmen van onze ouders, maar we kunnen niets meer verstaan.

Hanna en ik kijken elkaar aan.

"Ken jij een Brigitte?" vraagt Hanna fluisterend.

"Nee," antwoord ik, ook fluisterend. "Maar ik weet dat ze papa's jeugdliefde was."

"Denk je dat Brigitte van papa houdt, echt van papa houdt?"

Ik schud mijn hoofd.

"En waarom niet?"

"Omdat..." Ik zoek naar een antwoord. "Tenslotte heeft papa ons, zijn gezin."

"Maar daarom kan Brigitte toch wel van hem houden," vindt Hanna.

Na een moment stilte fluistert ze: "Misschien gaan mama en papa nu scheiden."

"Scheiden?" herhaal ik ontsteld.

"Ja. En daarna gaat papa bij Brigitte wonen."

"Papa en mama zullen nooit scheiden," antwoord ik. "En dat is maar goed ook," voeg ik eraan toe.

"Mevrouw Beckmann zegt dat een dramatisch einde beter is dan een drama zonder einde," legt Hanna uit. "Voor de kinderen is het in elk geval beter als hun ouders niet voortdurend ruziemaken."

"Onze ouders maken toch niet voortdurend ruzie!"

"Nee. Bij ons is het meestal ijstijd."

"Ja en daarom ben je naar ons toe gekomen, als ijsbreker."

"Als onze ouders scheiden, ga ik naar papa en Brigitte," zegt Hanna zacht.

"Je kent Brigitte toch helemaal niet."

"Dat maakt niets uit."

"Bovendien weet je niet of het tussen papa en Brigitte wel wederzijds is."

"Hoe bedoel je, wederzijds?"

"Het zou toch kunnen dat papa van Brigitte houdt, maar Brigitte niet van papa," leg ik uit.

"Nee! Papa schrijft dat hij aan haar denkt met alle liefdesvuur dat hij in zich heeft. Als Brigitte ook een hart als een ijsblok heeft, net als mama, kan papa het met zijn vuur ontdooien!"

"Papa? Dat geloof ik niet," antwoord ik. "Denk maar aan mama, hoe weinig hij bij haar veranderd heeft."

"Ja, omdat mama uit het eeuwige ijs gemaakt is!"

"Eeuwig ijs bestaat niet," zeg ik. "Elke ijsberg smelt wel eens."

"Wel eens vind ik te laat," antwoordt Hanna. "En bovendien wil ik helemaal geen ijsbreker meer zijn!"

Ze snikt een paar keer.

"Je hebt daarnet nog gezegd dat je van ijs houdt," probeer ik haar op te beuren.

"Ja, om op te eten!"

"Dan ga ik nu in de keuken ijs voor je halen," vertel ik haar.

"Je krijgt het niet, ik weet het zeker," antwoordt ze.

Maar onze moeder is door mijn plotselinge komst zo verrast dat ze me zonder tegensputteren twee bekers met chocolade-ijs geeft.

Waarop ze zegt: "Waarom gaan jullie je ijs niet buiten voor de deur opeten? Papa en ik moeten nog iets belangrijks bespreken." Wanneer ik blijf staan voegt ze eraan toe: "Het gaat om je verjaardagsfeest."

Maar ik vind het niet erg leuk om op mijn verjaardag naar buiten te worden gestuurd. En bovendien weet ik waarover onze ouders eigenlijk willen praten: over Brigitte.

"En wanneer mogen we terugkomen?" vraag ik.

Ze kijkt naar de klok. "Om een uur, voor het eten."

In het trappenhuis stelt Hanna voor om mevrouw Beckmann een bezoek te brengen.

"En wat zal meneer Beckmann zeggen?" vraag ik.

"Niets. Hij is ongetwijfeld weer met zijn handbalvereniging op weg."

"Ik begrijp het." In principe ga ik niet naar andere appartementen omdat dat onze eigen ouders in een slecht daglicht stelt. Maar vandaag, op mijn verjaardag, kan ik zonder gewetensproblemen een uitzondering maken, denk ik.

Mevrouw Beckmann stelt ook helemaal geen pijnlijke vragen. Ze geeft ons koeken en vruchtensap en we spelen Mens-erger-je-niet, het hoedenspel en het vlooienspel.

Daarna wil ze ons een sprookje voorlezen.

"Wat is je lievelingssprookje?" vraagt ze me. "Als feestvarkentje mag jij er een kiezen."

"Mijn lievelingssprookje." Ik weet niet goed wat ik moet zeggen. "De kikkerkoning!"

"En waarom?"

"Ik vind het prachtig hoe bij ijzeren Hendrik op het einde de ijzeren banden kapotspringen die hij om zijn hart had gelegd toen de prins in een kikker veranderd werd."

Mevrouw Beckmann knikt. "Ja, ik vond het ook altijd leuk om te lezen: *Hendrik, de wagen breekt! Nee, heer, het is de band om mijn hart dat huilde van de smart.*"

"Mijn lievelingssprookje is dat met de zwavelstokjes," roept Hanna.

"Maar het is vandaag niet jouw verjaardag," antwoordt mevrouw Beckmann.

Hanna zet een pruilmondje.

"Neem het sprookje met de zwavelstokjes maar," zeg ik tegen mevrouw Beckmann. "Het is mijn op een na liefste sprookje."

"Goed dan," zegt mevrouw Beckmann.

Terwijl ik het verhaal helemaal niet mooi vind omdat het zo treurig is.

Ze slaat het sprookjesboek open en begint te lezen:

"In dichte vlokken viel de sneeuw uit de hemel, het was die avond al heel donker en op straat was het bitter koud. De mensen die nog onderweg waren, haastten zich om thuis te komen, want het was de laatste dag van het jaar, die iedereen graag thuis of met goede vrienden doorbrengt. In deze kou liep een arm, klein meisje zonder muts en blootsvoets over straat..."

Ik kijk Hanna aan.

Ze moet het sprookje al heel vaak gehoord hebben, want ze beweegt haar lippen mee met elk woord.

"In haar schort droeg het meisje een heleboel pakjes met zwavelstokjes en een hield ze in haar hand. Ach, al had ze die dag nog zo ver gelopen, niemand had iets van haar gekocht, niemand had haar wat gegeven. Ze had ook niets te eten gekregen en in haar dunne rokje verkleumde ze van de kou."

Wanneer mevrouw Beckmann voorleest: *"En thuis was het net zo koud als hier,"* knikt Hanna. En ze fluistert: *"Als je nou een zwavelstokje aanstak?"*

"Je kent het hele sprookje echt uit het hoofd, hè?" zegt mevrouw Beckmann lachend.

"Verder lezen!" vraagt Hanna.

131

"Ze stak nog een zwavelstokje aan. Ook dat flakkerde vrolijk en het leek het kleine meisje of de muur waarop het licht van het stokje viel, uiteenweek en ze in de kamer kon kijken waar op de schotel op een schitterend wit gedekte tafel met het heerlijkste porselein een gebraden gans lag, met een mes en een vork in haar rug. En nu, hoe wonderlijk!, sprong de gans ineens uit de schotel en waggelde over de vloer de deur uit, de trap af, door de poort recht op het arme meisje af. Toen doofde het zwavelstokje en er was niets meer te zien dan de kale, dikke muur.

Opnieuw greep het meisje naar haar bundeltje; roetjs, ontvlamde nog een stokje. Oh, hoe mooi, hoe heerlijk! Nu stond ze onder de mooiste, prachtig versierde kerstboom die onvergelijkelijk veel mooier en groter was dan de boom die ze op kerstavond door de glazen deur van de rijke koopman had gezien en vele duizenden lichtjes brandden op de groene takken en er lagen prentenboeken en loden soldaatjes en poppen; het kind strekte haar armen ernaar uit en toen doofde het zwavelstokje.

Pas nu merkte het kleine meisje dat wat ze voor lichtjes gehouden had..."

"... de sterren aan de hemel geweest waren!" fluistert Hanna.

"... die in hun heerlijkheid en majesteit naderbij kwamen," leest mevrouw Beckmann voort. "Plotseling schoot er een uit de hemel naar beneden en liet een lange staart van vuur achter. 'Nu sterft er iemand,' zei het meisje zachtjes rillend; ze dacht eraan dat haar oude grootmoeder, die altijd zo van het kind gehouden had maar die nu ook al lang geleden gestorven was, ooit een keer gezegd had: 'Als een ster valt, stijgt een ziel op naar God!' Nogmaals streek het meisje een zwavelstokje af tegen de muur; het flakkerde fel op en in zijn licht leek het het meisje alsof haar oude grootmoeder fel verlicht, zoals altijd mild en vriendelijk lachend, voor haar stond.

'Grootmoeder!' riep het kleine meisje. 'Oh, neem me met je mee! Ik weet dat jij ook zult verdwijnen als mijn zwavelstokje dooft; jij zult verdwijnen net als de grote warme oven verdwenen is en de heerlijke gebraden gans en de stralende kerstboom!' Snel stak ze alle zwavelstokjes aan die nog in het pakje hadden gezeten om het beeld van haar grootmoeder vast te houden. De stokjes vlamden hevig op. Hoe mooi was grootmoeder toch en hoe groot! Zo had ze er tijdens haar leven nooit uitgezien. Nu boog ze zich voorover, nam het kleine meisje in haar armen en zweefde met het kindje omhoog, naar de plek waar niemand ooit nog honger of kou lijdt, waar kou, honger en angst geen macht meer over de mensen hebben, naar boven, op naar God.

In de hoek zat in het koude ochtendlicht het kleine meisje. Haar wangen waren nog rood, om haar mond lag een zachte glimlach, maar het meisje was dood... bevroren op de laatste dag van het oude jaar. De nieuwjaarsochtend steeg op boven het kleine lijkje dat nog zijn zwavelstokjes, waarvan een pakje bijna helemaal was opgebrand, stevig in haar handen klemde. 'Ze heeft zich willen warmen,' zeiden de mensen. Ja, maar de mensen wisten niet hoeveel moois en heerlijks het kleine meisje die nacht had gezien en in wat voor glans ze met haar oude grootmoeder de nieuwjaarsvreugde was ingegaan."

133

Ik heb een krop in mijn keel, maar Hanna glimlacht.

"Nu zal het kleine meisje nooit meer bevriezen," zegt ze. "Bij Onze Lieve Heer is het warmer dan honderdduizend brandende zwavelstokjes. En het meisje hoeft ook nooit meer bang te zijn in het donker. Want Onze Lieve Heer is als een pichtleertje, alleen nog veel feller en warmer!"

"Een lichtpeertje bedoel je," verbeter ik.

"Ja," zegt ze. "Als een reuzegroot pichtleertje."

"Dat moet wondermooi zijn!" merkt mevrouw Beckmann op.

"Jawel," zegt Hanna.

Ik kijk op de klok boven de bank en krijg een steek van schrik.

"Bijna een uur! Om een uur moeten we thuis zijn om te gaan eten."

"Eten op je verjaardag?" vraagt mevrouw Beckmann verbaasd. "Toen ik als kind verjaarde, was er nooit echt eten, alleen cake en ijs."

"IJs hebben we al gekregen," zeg ik. "Kom, we gaan!" sommeer ik Hanna.

"Maar ik wil niet!" antwoordt ze.

"Zal ik jullie moeder bellen om te vragen of jullie hier nog wat mogen blijven?" stelt mevrouw Beckmann voor.

"Nee," sla ik af.

"Oh ja!" roept Hanna.

"Dat zal mama niet leuk vinden," waarschuw ik haar.

"Ik begrijp het. Waarschijnlijk kookt jullie moeder iets

lekkers voor je verjaardag?" vraagt mevrouw Beckmann.

"Euh, ja," zeg ik.

"Wat is je lievelingseten?"

"Gebraden kip."

"Dan staat er ongetwijfeld gebraden kip op je te wachten," denkt mevrouw Beckmann.

"Ik ben zeker van niet!" antwoordt Hanna.

"Lust jij geen gebraden kip misschien?"

"Jawel. Maar we krijgen soep uit blik, daar ben ik zeker van."

"Op Wolfgangs verjaardag?" zegt mevrouw Beckmann ongelovig.

We krijgen wel soep uit blik. Nog bloemkoolsoep ook, die ik nog het minste lust.

Maar ik schep mezelf op en neem zelfs nog een tweede portie om de stemming niet te bederven. Al kan de stemming eigenlijk niet veel slechter meer worden.

"Noordpool," fluistert Hanna me toe.

"Nee, Canada," spreek ik tegen want onze moeder zwijgt nog niet echt helemaal. Ze zegt "Smakelijk eten" en "Wil iemand nog?" en "Hanna, eet."

Alleen met onze vader praat ze niet. Een paar keer zegt hij wat tegen haar, maar zij doet of hij lucht is.

Ze eet ook nauwelijks wat en al snel trekt ze zich met hoofdpijn in de slaapkamer terug. Hanna moet alweer blijven zitten tot ze haar bord heeft leeggegeten, onder de waakzame ogen van onze vader. Hij heeft er een hekel aan wanneer eten moet worden weggegooid; 'vernietigd' zoals hij het noemt.

Nadat Hanna een halfuur voor haar bord heeft gezeten, offert onze vader zich op en eet de soep op. Voor hem lijkt het echter helemaal geen offer te zijn. Hij zegt verheerlijkt dat de soep koud pas echt lekker is.

Hanna en ik hebben daarna nauwelijks tijd genoeg om de verjaardagstafel te dekken. Ik heb nauwelijks op elk bord een servet gelegd of er wordt al gebeld.

"Daar zijn ze!" schreeuwt Hanna.

"Sst! Niet zo luid!" waarschuwt onze vader.

Maar daar gaat de slaapkamerdeur open en onze moeder verschijnt.

"Liesel!" zegt onze vader geschrokken. "Hebben we je gestoord? Is het niet beter als je blijft liggen?"

Maar ze let niet op hem. "Zou je je vrienden niet binnenlaten?" zegt ze tegen mij.

"J-jawel," stotter ik. Eigenlijk had ik verwacht dat ze de hele middag in bed zou blijven en dat we mijn verjaardag zonder haar zouden moeten vieren.

Opnieuw rinkelt de bel.

"Ga dan!" zegt ze.

"Wat is er met jou?" vraagt Hartmut wanneer ik de deur opendoe.

"Niets," maak ik hem wijs.

"Je hebt een gezicht als een onweerswolk!"

"Ik?"

"Ruzie met je ouwelui?" Manfred grijnst.

Ik weet niet wat me het meeste ergert, zijn besmuikte grijns of de uitdrukking 'je ouwelui'. In elk geval ga ik er stevig tegen in: "Nee! Mijn ouders hebben er niets mee te maken."

"Ah! Dan was het je zus," denkt Hartmut. "Die kleine zeurpiet!"

"Ja precies," antwoord ik. Opgelucht dat onze ouders buiten schot zijn.

"En wat heeft ze uitgevreten, dat zusje van jou?" vraagt Manfred nieuwsgierig.

"Uitgevreten niets. Maar je kent haar toch. Ze is zo'n wijsneus. Daarom ben ik bang dat ze mijn verjaardagsfeest verpest."

"Wat doe ik?" roept Hanna. Ineens staat ze naast me. "Je verjaardagsfeest verpesten?"

Ik zou haar willen zeggen dat het een leugentje om bestwil was omdat ik niet wilde dat Manfred en Hartmut iets over de huwelijksproblemen van onze ouders te weten zouden komen. Maar daarvoor is het nu te laat.

"Wolfgang heeft gelijk," zegt Hartmut. "Je bent het meest eigenwijze en brutaalste meisje dat ik ooit heb ontmoet."

"Niet waar!"

"Oh jawel! Noem je mij dan geen Lange Wapper?"

137

"En mij strooien dakje," vult Manfred aan. "Alleen de meest brutale meisjes bedenken zulke namen."

"Die namen heb ik alleen maar bedacht omdat ik jullie graag mocht," antwoordt Hanna. "Maar nu mag ik jullie helemaal niet meer graag. En jou ook niet!" sist ze tegen mij.

Manfred onderdrukt een lach. "Wat voor bijnaam heeft Wolfgang eigenlijk?" vraagt hij. "Egel-op-de-appel? Of Trappeldier-in-de-sla?"

"Verrader," antwoordt Hanna. "Verrader en leugenaar!"

"Hanna..." begin ik.

Onze moeder komt de gang in. Ze heeft haar donkerblauwe mantelpakje aangetrokken, de witte blouse met haar parelketting en haar schoenen met hoge hakken die ze voor de reünie heeft gekocht. Ik ben verrast en natuurlijk ook een beetje trots dat ze zich voor mijn verjaardagsfeest zo mooi aangekleed heeft. Hartmut en Manfred zijn duidelijk verlegen en onder de indruk.

"Ik hoop dat je je goede humeur hebt meegebracht?" zegt ze.

Hartmut schraapt zijn keel. "Ja."

"Zo klinkt het echter helemaal niet. Je was toch geen ruzie aan het maken met Wolfgang?"

"Nee, nee," verzekert Manfred.

"Maar wel met mij!" zegt Hanna.

De uitdrukking op het gezicht van onze moeder wordt

donker. "Heb je de grote kinderen alweer op stang ge-jaagd?"

Hanna schudt haar hoofd. "Nee. Maar zij hebben mij op stang gejaagd!"

"Niet waar," zeg ik.

"Jawel!"

Onze moeder zucht. Met een beweging van haar hoofd wijst ze naar de badkamer. "Het is maar het beste als je daar gelijk plaatsneemt, juffrouw Wijsneus. Voor je de hele ver-jaardag van je broer verpest."

Hanna perst haar lippen op elkaar en beweegt zich niet.

"Wat nou?" bijt onze moeder haar toe. "Heb je me niet begrepen?"

"Je hebt niet gezegd dat ik in de badkamer moet."

"Dan zeg ik het nu. Vooruit!"

Hanna verdwijnt in de donkere badkamer. Mijn moeder doet de deur achter haar op slot.

"Mijn zus is ook altijd zo snel beledigd," zegt Manfred.

"Ik ben niet beledigd," antwoordt Hanna met doffe stem.

"Nee? Wat ben je dan?" wil Hartmut weten.

"Ver weg," antwoordt ze.

"In het land van de beledigde leverworsten, ja?"

"Ik ben niet in het worstjesland," sist Hanna. "Ik ben in de hemel bij mijn pop Petrea."

"En daar mag je gerust blijven," zegt onze moeder onaan-gedaan. "Toch denk ik niet dat ze in de hemel zulke lekke-

139

re cake hebben als wij. En die eten we nu zonder jou op!"

En ze loopt weg met klepperende hakken.

"Waarschijnlijk is Hanna in de hemel van de beledigde zieltjes," denkt Manfred grijnzend.

En Hartmut gaat voort: "In haar hemel klinkt geen vioolmuziek, maar gemeier."

"Kom, dan gaan we naar de woonkamer," zeg ik. "Anders wordt de chocolademelk koud."

Na het eten stelt onze moeder voor dat we eerst de watertoren beklimmen en daarna thuis de kwissen doen.

"Ah, ga je mee, Liesel?" verheugt onze vader zich.

"Nee," antwoordt ze. "Tenslotte moet iemand de afwas doen."

"Maar we kunnen toch allemaal samen afwassen," antwoordt onze vader. "Of wij tweetjes wassen af, dan kunnen de kinderen al gaan."

"Wil je de kinderen alleen naar de watertoren sturen? Door het bos?"

"Nee. Maar ik wil je niet met de vieze vaat laten zitten."

"Dat ben ik gewend!"

"En als we later afwassen?"

"Nee, dan plakt alles al aan elkaar. Bovendien moet ik nog afruimen, voor de spelletjes straks."

Uiteindelijk gaan we zonder onze moeder, maar met Hanna.

Onderweg naar de watertoren spelen Hartmut en

Manfred met de bal die ze me voor mijn verjaardag gegeven hebben. Ik doe niet mee omdat ik de tas met gekleurd
papier draag waarvan we zwaluwen willen knutselen.

Hanna en onze vader lopen een paar stappen achter me.
Als ik me inspan, kan ik horen wat ze zeggen.

"Heb je nu hommels in je buik?" hoor ik Hanna vragen.

"Wat moet ik in mijn buik hebben?" vraagt onze vader.

"Hommels! Annette zegt dat wanneer je echt gek op
iemand bent, je hommels in je buik hebt."

"Die uitdrukking heb ik nog nooit gehoord."

"Maar is het echt, heb je hommels in je buik?"

"Nee! Hoe kom je nu op dat idee? Door die Annette?"

"Niet Annette." Hanna giechelt. "Maar... Brigitte!"

"Welke Brigitte?"

"Jouw Brigitte. Die aan wie je liefdesbrieven geschreven
hebt."

"Ik heb geen liefdesbrieven geschreven," beweert onze
vader. "En als het wel zo was, dan zijn dat mijn eigen
zaken."

Het duurt even voor Hanna antwoord geeft. "Dan klopt
het dus wat Wolfgang gezegd heeft: jij houdt van Brigitte,
maar Brigitte houdt niet van jou!"

"Ik weet niet waarom uitgerekend Wolfgang zich daar
zorgen over maakt."

"Houdt Brigitte dan van jou?"

"Daar begrijp jij niets van," antwoordt onze vader met
hese stem.

"Jawel!" zegt Hanna. "Van houden van begrijp ik juist heel veel!"

Onze vader schraapt zijn keel. "Maar volwassenen houden op een andere manier van andere mensen... dan kinderen."

"Hoe anders?"

"Als volwassenen van iemand houden die ook volwassen is, dan trouwen ze."

"Dacht ik het niet?" zegt Hanna. "Jullie gaan scheiden, jij en mama."

"Hoe kom je daarbij?"

"Jullie moeten scheiden zodat jij met Brigitte kunt trouwen!"

"Ik wil helemaal niet met Brigitte trouwen," spreekt onze vader tegen. "Ik ben al getrouwd. Gelukkig getrouwd," voegt hij eraan toe.

"Maar daarnet heb je gezegd dat volwassenen trouwen wanneer ze van iemand houden. En jij houdt van Brigitte, niet?"

"Dat gaat je werkelijk niets aan."

"Jawel, het gaat me wel iets aan. Omdat ik bij jou wil blijven, bij jou en Brigitte, wanneer je je van mama laat scheiden!"

Mijn hart staat haast stil van schrik. Ook onze vader snakt even naar adem.

"En denk je dat Brigitte zo'n onopgevoed nest als jij wil?" vraagt hij daarop.

"Ik ben niet onopgevoed," antwoordt Hanna.

"Oh nee? En je ouders afluisteren, is dat niet onopgevoed? En ondankbaar ben je ook nog. Of heb je mama ooit al bedankt voor al het goede en mooie dat ze elke dag voor ons doet?"

"Nee."

"Zie je wel!" Onze vader snuift, alsof er een astma-aanval op komst is. "Wees blij dat mama altijd aan je kant staat. Niet alle moeders zijn zo geduldig. Brigitte zou het zeker niet zijn."

"Heeft Brigitte ook een blok ijs om haar hart net als mama?" vraagt Hanna.

"Een blok ijs?" herhaalt onze vader.

"Ja. Als ze er een heeft, kan ik het zeker laten smelten!"

"Nu is het genoeg!" Onze vader ademt een paar keer kuchend. "Mama heeft echt gelijk wanneer ze zegt dat het met jou niet uit te houden is."

"Met mama is het echt niet uit te houden!" antwoordt Hanna. "En wanneer ik weer in de hemel kom, zal ik aan Onze Lieve Heer vragen waarom hij me geen gemakkelijker opdracht gegeven heeft."

"In de hemel?" Onze vader lacht gemeen. "Weet je dan niet waar ondankbare kleine meisjes die kwaadspreken over hun moeder terechtkomen? In de hel!"

"Daar ben ik niet bang voor," antwoordt Hanna.

"Ah ja? En waarom niet?"

"Omdat de hel gewoon niet bestaat! In elk geval niet bij

143

Onze Lieve Heer. De hel is maar iets wat de mensen elkaar aandoen."

"En dat laat hij toe, jouw zogezegd lieve Heer?"

"Nee, dat doet hij niet. Hij probeert de mensen te helpen. Daarom stuurt hij zijn kleine engeltjes ook naar de gezinnen."

"Zulke zelfverklaarde kleine engeltjes als jij?" hoont onze vader. "En nu ben je nog beledigd ook," zegt hij wanneer Hanna niets terugzegt. "Als iemand je voorzichtig de waarheid wil vertellen, ben je direct beledigd."

"Ik ben niet beledigd!" antwoordt ze.

"Dat ben je wel. Maar in plaats van erover te gaan mokken kun je er beter over nadenken hoe je een echte engel kunt worden: een braaf, volgzaam meisje dat haar moeder alleen maar vreugde schenkt!"

Hanna lijkt inderdaad na te denken. Tot aan de watertoren zegt ze geen woord meer.

De watertoren staat op een heuvel midden in het bos. Als opslagplaats voor water doet hij allang geen dienst meer. Maar op de benedenverdieping is nu een café.

Tijdens de zomer is het een favoriet doel voor uitstapjes omdat je in de tuin koffie kunt zitten drinken. En als je een kaartje koopt, mag je met de wenteltrap naar boven, tot op het terras vanwaar je over de omgeving kunt uitkijken. Dat is altijd een dapperheidstest. Onderin de toren zijn de trappen nog redelijk breed en valt er genoeg licht door de smalle raampjes. Maar ongeveer halverwege moet je een zware ijzeren deur door die dadelijk weer achter je dichtvalt. Daarachter is het uit met de raampjes.

Het is er zo aardedonker dat je geen hand voor ogen kunt zien. En hoe hoger je komt, hoe smaller de trappen worden.

"Wel Hanna, schijt je nu niet in je broek?" vraagt Manfred grinnikend wanneer we voor de watertoren staan.

Ik verwacht dat Hanna "Nee, ik brijt nooit in mijn schoek," antwoordt. Maar ze knikt alleen en zegt zacht: "Ja."

We lopen het café in. Behalve de waardin die achter de tapkast haar krant leest, zitten nog twee oudere mannen in de zaal.

Wanneer onze vader verteld heeft dat het mijn verjaardag is, geeft de waardin me kauwgom. Maar het entreegeld voor mij moet hij toch betalen.

"Jullie zijn vandaag trouwens de eersten die de toren willen beklimmen," zegt de waardin.

"Echt waar?"

"Jammer genoeg wel. Als de zon niet schijnt, blijven de mensen thuis."

"Maar ze schijnt wel," antwoord ik. "Toen we hierheen kwamen, scheen de zon."

"Dan moet ze speciaal voor jou achter de wolken uitgekomen zijn," zegt de waardin.

"Nee, voor mij," antwoordt Hanna.

"Voor jou?" De waardin lacht. "Grappig," zegt ze. "Voor

mij doet de zon dat nooit. Waarschijnlijk kijkt ze liever naar kleine engelengezichten zoals het jouwe."

Hanna knikt.

Daarop beginnen we aan de beklimming. Manfred en Hartmut zijn als eersten op de trap. Daarna kom ik, een trede lager komt Hanna en onze vader komt als laatste.

Omdat hij vaker wat moet rusten en diep moet ademhalen.

Ten slotte blijft hij staan om te inhaleren.

Ik wil op hem wachten, maar Hanna pakt mijn hand vast en fluistert: "Kom!"

"We moeten nog op papa wachten," antwoord ik.

"Nee! Dat moeten we niet!"

"Maar ik wil wachten."

"Nou goed, als je niet wilt meekomen..." zegt Hanna.

Ze laat mijn hand los en loopt Manfred en Hartmut achterna. Even later hoor ik hoe de ijzeren deur opengaat en weer dichtslaat.

"Papa?" vraag ik.

"Wacht maar niet... op mij," antwoordt hij. "Ik moet nog wat... op adem komen."

"Dan ga ik nu naar de anderen toe."

"Ja..."

Met kloppend hart stap ik de pikzwarte gang in.

"Hanna?" roep ik.

De zware deur valt daverend weer in het slot. Er loopt een koude rilling over mijn rug.

Boven in de toren hoor ik voetstappen.

"Hanna?" roep ik nog een keer.

Er valt een vlek licht in de gang. Waarschijnlijk heeft Hanna nu de deur naar het terras opengemaakt. Daarna is het weer aardedonker. Ik hou me vast aan de reling en loop langzaam stap voor stap naar boven. Eindelijk ben ik bij de uitgang. Ik duw de deurklink naar omlaag en stap op het terras.

Het duurt een paar seconden voor mijn ogen zich aan het licht hebben aangepast. Dan herken ik Hartmut en Manfred bij de balustrade.

"Waar is Hanna?" vraag ik

"Hanna?" antwoordt Hartmut. "Moet die hier dan zijn?"

Ik loop naar de overzijde van het terras. Daar staat Hanna. Ze staat hoog boven op de balustrade.

Hanna, nee! wil ik roepen.

Maar dan... dan zie ik haar hemelse veren! Ja, ik kan haar vleugels zien. Ze zijn wit met roze aan de uiteinden en niet zo groot, precies goed voor Gods kleinste engel.

En wanneer Hanna zich in de lucht verheft en wegzweeft, zie ik nog iets: een stralend, gouden licht dat haar helemaal omgeeft.

En het zonlicht kan het niet zijn, want de zon is allang weer achter de wolken verdwenen.

Een ogenblik lang zou ik ook een engel willen zijn, Hanna's mee-engel!

Maar op dat moment gaat de deur naar het terras open en hoor ik onze vader hoesten.

"Wolfgang? Hanna?" roept hij.

"Hier ben ik," antwoord ik.

"En Hanna?"

"Hanna?" Ik kijk omhoog naar de wolken. "Hanna is weer bij Onze Lieve Heer, waar ze thuishoort!"

Angela Sommer-Bodenburg

Angela Sommer-Bodenburg werd in 1948 geboren in Reinbek, in de buurt van Hamburg. Ze studeerde sociologie, pedagogie en psychologie en werkte twaalf jaar lang als onderwijzeres in Hamburg. Sinds 1992 woont ze in Californië. Ze schreef al meer dan veertig boeken, zowel gedichtenbundels, prentenboeken, romans als novelles. Haar boeken worden in zevenentwintig talen vertaald en halen wereldwijd een oplage van meer dan 8 miljoen exemplaren.

Klein wezenmeisje
Jane Buchanan

Als Hattie één woord haat, is het het woord 'dankbaar'. Wanneer haar ouders om het leven komen bij een brand, moet ze dankbaar zijn dat ze nog leeft. Nu moet ze dankbaar zijn dat de Wezentrein haar naar Nebraska brengt, naar een nieuw thuis. Maar Hattie voelt zich helemaal niet welkom bij de Jansens.

+ 11 jaar - ISBN 90 6822 579 0

Ik was geheim
Katherine Ayres

Wanneer Tyler op school de opdracht krijgt haar stamboom te maken, raakt ze in paniek. Ze heeft helemaal geen familie, alleen haar vader. Haar moeder kwam om bij een auto-ongeluk, nog voordat Tyler geboren werd. Wie zijn haar grootouders, haar ooms en tantes? Haar vader zwijgt liever over de familiegeschiedenis. Dan neemt Tyler het roer in eigen handen. Ze snuffelt stiekem op zolder in oude dozen van haar moeder. Daar vindt ze de namen van haar grootouders en ze besluit hen een brief te schrijven.

+ 11 jaar - ISBN 90 6822 577 4